Ein Grab f

## Über den Autor

René Falk wurde 1955 geboren. Er ist ein echter Rhein-
länder und lebt in Troisdorf, einem Nachbarort von
Köln. Schon sehr früh zeigte sich seine Neigung zum
Schreiben von Kurzgeschichten, vor allem im Bereich SF
und Fantasy. In späteren Jahren richtete sich sein
Interesse mehr auf das Genre Krimis & Thriller und bald
begann er selbst damit, Kriminalromane zu schreiben.
Er legt großen Wert darauf, seine Leser zu unterhalten,
und wenn ihm dies mit seinen Geschichten gelingt, hat
er sein Ziel erreicht. Die deutschsprachigen Bücher von
René Falk werden nicht nur in Deutschland, sondern
auch in Italien, Frankreich, Spanien, Großbritannien
und den USA gelesen.

# Ein Grab für Zwei

*René Falk*

Bibliografische Information der Deutschen Nationalbibliothek: Die Deutsche Nationalbibliothek verzeich-net diese Publikation in der Deutschen Nationalbibliografie; detaillierte bibliografische Daten sind im Internet über http://dnb.dnb.de abrufbar.

*René Falk*
Ein Grab für Zwei

Umschlaggestaltung: *Bryan Gehrke, Buchcovers.de*

Herstellung und Verlag:
BoD – Books on Demand, Norderstedt

ISBN: 978-3-7568-2149-5

# Inhaltsverzeichnis

# Über dieses Buch

Trotz schlechtem Wetter ist die Anteilnahme an der Bestattung eines prominenten Mitglieds der Gemeinde groß, denn neben der Familie scheint der halbe Stadtteil auf den Beinen zu sein. Nicht wenige davon werden sich persönlich vom Ableben des Multimillionärs überzeugen wollen, was wohl ebenfalls für die Angehörigen gilt, denn das zu erwartende Erbe ist beträchtlich. Als sie unter der Führung des Pfarrers am Grab ankommen, erleben sie eine Überraschung: In der frisch ausgehobenen Grube liegt schon einer! Die SOKO Rhein-Sieg macht sich sofort mit Feuereifer ans Werk, diese mysteriöse Geschichte aufzuklären. Doch noch bevor sie richtig loslegen können, werden sie mit einer Altlast aus einem früheren Fall konfrontiert, die sie ebenfalls in Atem hält.

# Prolog

*Ein feuchtfröhlicher Abend*

Die Gaststätte am Markt war, wie immer am Freitagabend, gerammelt voll, doch jeder der Gäste hatte seinen angestammten Platz, den er in vielen Jahren erobert hatte. In der Tat waren es auch heute wieder bis auf wenige Ausnahmen Männer, die meisten im gesetzten Alter, die sich zusammengefunden hatten. Drei Ehefrauen von Herren an den Tischen hatten es sich an der Theke gemütlich gemacht.

Die trafen sich meist zum Skat oder um für einige Stunden dem Alltag zu entfliehen. Man kannte sich untereinander, da Ortsfremde in die seit mehreren Generationen im Familienbesitz befindliche Kneipe selten kamen. Als das alte Rathaus noch gestanden hatte, hieß es sogar, dass dort die eigentliche Politik gemacht wurde, denn etliche Gäste waren Ratsmitglieder.

So auch die vier Herren an einem Tisch hinten in der linken Ecke, vom Eingang aus gesehen. Dass sie aus unterschiedlichen politischen Lagern waren, war in dem einer Dorfgemeinschaft gleichenden, ältesten Ortsteil Troisdorfs von untergeordnetem Interesse. Streiten konnte man sich im Sitzungssaal, außerhalb davon war man in den meisten Fällen von Kindesbeinen an befreundet. Dies schloss jedoch kameradschaftliche Kabbeleien bei Bier und Skat nicht aus.

Dart wurde hier nicht gespielt, wie es in einigen Gaststätten mit meist jüngerem Publikum seit vielen Jahren üblich war. Es wäre hier auch kein Platz dafür vorhanden gewesen. Den hätte man zwar im Hinterzimmer gehabt, doch dieses war für Feierlichkeiten und Zusammenkünfte aller Art reserviert, bei denen man unter sich sein wollte. Momentan war es unbenutzt, aber für den nächsten Tag war eine Trauergesellschaft angekündigt. Und weil der Verstorbene in der Gemeinde wohlbekannt, wenn auch nicht gerade beliebt gewesen war, gab es heute kaum ein anderes Gesprächsthema.

»Das wird ein ziemliches Gedränge geben«, sagte einer der vier Skatbrüder soeben und hob sein leeres Glas, um beim Wirt Nachschub anzufordern. Gleichzeitig zeigte er mit vier Fingern seiner anderen Hand eine Runde an. »Da wird der halbe Ort auf den Beinen sein!«

»Aber nur, um sich zu vergewissern, dass er auch tatsächlich tot ist«, meinte ein anderer. »Wie der an seine Millionen gekommen ist, weiß ja nun wirklich jeder. Das werden nicht wenige sein, denen er auf die Füße getreten ist. Es heißt auch, dass er einige wichtige Leute bei der Stadtverwaltung auf seiner ›Lohnliste‹ stehen hatte!«

»Genau genommen darf man sowas nicht zu laut sagen«, mahnte ein Dritter, wobei er verschwörerisch die Stimme senkte. »Es ist zwar offensichtlich, dass der Kerl aus irgendeinem Grund immer das Vorkaufsrecht für gemeindeeigene Wohnhäuser bekam, deren Unterhalt der Stadt zu teuer geworden war. Und es ist auch bekannt, dass danach wie von Zauberhand die Versorgungsinstallationen für Gas und Wasser in den Wohnungen ausfielen. Natürlich im tiefsten Winter, sodass die Mieter letztlich gezwungen waren, auszuziehen. Ebenso wurden die Häuser dann ›zufällig‹«, malte er Anführungszeichen in die Luft, »abgerissen und auf den wertvollen Grundstücken billige Wohnsilos errichtet, zu horrenden Mietpreisen! Aber in der Öffentlichkeit äußern sollte man das nicht, will man nicht mit den Anwälten seiner Firma Bekanntschaft machen. Diese Familie ist auch ohne ihn noch sehr mächtig!«

»Das sieht man ja schon daran, dass er auf dem alten Kirchhof bestattet wird, was ja normalerweise gar nicht mehr möglich ist, seit der neue Friedhof am Ortsrand in Betrieb ist!«, meldete sich der Vierte im Bunde jetzt zu Wort. »Ich möchte wirklich gerne mal wissen, wen er dafür alles geschmiert hat!«

»Vorsicht, Karl-Heinz!«, mahnte Jupp, wie der Wirt der ›Dorfschänke‹ allgemein gerufen wurde. Er stellte die bestellte Runde Bier einschließlich einer gleichen Anzahl Kornschnäpse auf den Tisch. Wie die meisten Wirtsleute war er bestens informiert. Nicht nur über die Gewohnheiten seiner Stammgäste, sondern auch über die Dinge des täglichen Lebens. Es gab vermutlich niemanden, der besser über das Geschehen hier im Ort Bescheid wusste. »Wie ihr euch sicher noch erinnert, wurde seine Frau auch da beerdigt und die dreißig Jahre Laufzeit für das Grab sind noch nicht abgelaufen! Es wird aber bestimmt die letzte Bestattung auf diesem Friedhof sein. Zudem seid ihr Stadträte bekanntlich ebenfalls im Gespräch, was Schmiergelder angeht, vergesst das nicht!«

»Du meinst sicher die Anschuldigungen, dass es bei den Umwidmungen der eben erwähnten Grundstücke nicht immer mit rechten Dingen zugegangen sein soll«, brummte der mit ›Karl-Heinz‹ angesprochene. »Wie du weißt, bin ich im Bau- und Vergabeausschuss und ich kann dir versichern, dass da keine krummen Sachen gelaufen sind! Man müsste ja auch den ganzen Stadtrat bestechen, da es bekanntlich um Mehrheitsentscheidungen geht. Man muss nicht alles glauben, was die Schmierfinken von der Regenbogenpresse schreiben!« Er kippte den Korn hinunter und das Bier gleich hinterher. »Statt hier kluge Reden zu halten, kannst du eine neue Runde bringen«, forderte er den Wirt sichtlich verstimmt auf.

»Wer ist eigentlich mit Aussetzen dran?«, fragte der ihm gegenüber sitzende Skatbruder, während er den Kartenstapel aufnahm, um ihn durchzumischen. ›Jupp‹ hatte sich derweil kommentarlos entfernt. Er wusste genau, wann er als Wirt den Mund zu halten hatte, und die vier Kameraden hatten bereits einiges getankt. Da konnte eine Diskussion dieser Art leicht eskalieren, und fahrtüchtig war sowieso keiner mehr von denen!

# Kapitel 1

*Ein ungewöhnlicher Fund*

Die kleine Friedhofskapelle bot Sitzgelegenheiten für knapp vierzig Trauergäste, erschienen waren aber an diesem regnerischen Samstagvormittag deutlich mehr. Wer keinen Sitzplatz ergattern konnte, musste daher mit einem Stehplatz hinter den Sitzreihen an der Eingangstür vorliebnehmen. Doch auch hier war jeder Meter ausgereizt. Der voluminöse Eichensarg neben dem Pult des Pfarrers, der soeben seine Trauerrede beendet hatte, zeugte in seiner Ausführung vom Reichtum des Mannes, der heute zu Grabe getragen werden sollte. Wahrscheinlich hätten nicht wenige der Zuschauer ein Jahresgehalt dafür opfern müssen.

Demzufolge war ein Teil der insgesamt zweiundfünfzig Personen sicherlich vornehmlich gekommen, um sich mit eigenen Augen vom Tod des Multimillionärs zu überzeugen, da es um eine recht beachtliche Erbschaft ging. Und weil der skrupellose Bauunternehmer zu Lebzeiten nicht gerade zimperlich mit seinen Mitmenschen umgesprungen war, galt das für den großen Rest der ›Trauergäste‹ im Grunde ebenfalls, wenn auch aus anderen Motiven.

Dem Vernehmen nach war der als extrem cholerisch bekannte Mann durch einen Hirnschlag gefällt worden, den er bei einem seiner gleichsam bei seinen Angestellten und den Familienangehörigen gefürchteten Wutanfälle erlitten hatte. Ansonsten hätte sich jeder Mordermittler, sofern einer anwesend gewesen wäre, aufgrund der zahllos vorhanden Mordmotive vergnügt die Hände gerieben.

Etliche der Anwesenden, vornehmlich die aus den hinteren Reihen, hatten bei der Rede des Geistlichen wegen der vielen besonders lobend erwähnten guten Eigenschaften des frisch Verstorbenen fassungslos die Köpfe geschüttelt. War das tatsächlich die Beerdigung des Antonius Eschbach? Aber wie hieß es noch in der ›Amtssprache‹ des Pfarrers? *De mortuis nil nisi bene.* Über Tote spricht man nur Gutes.

Dieser nahm jetzt seinen Weihwasserbehälter und schritt zwischen den Sitzreihen dem Ausgang zu, für die bereitstehenden Sargträger das Kommando, sich in Bewegung zu setzen. Reihe für Reihe lichtete sich, als man sich dem Trauerzug anschloss. Zuerst die Angehörigen, dann der Rest. Ein untersetzter, korpulenter Mann am Eingang wollte sich in die Prozession einreihen, wurde jedoch von der hochgewachsenen, wasserstoffblonden Frau neben ihm zurückgehalten. »Noch nicht!«, zischte sie ihm leise ins Ohr. »Wir zwei bilden das Ende. Und steck das Ding weg! Es muss ja nicht gleich jeder sehen, was wir hier vorhaben!«

Die alteingesessene und in früheren Zeiten mächtige Familie Eschbach hatte eine ganze ›Straße‹ auf dem Friedhof reserviert, wo sich die Gräber von sechs Generationen nahtlos aneinanderreihten. Die Grabstelle war daher ebenfalls mehr als dreißig Meter von der Kapelle entfernt. In einem der ältesten Teile des Friedhofs, der mitten im Ortskern gelegen war. Hier wurden eigentlich keine Beerdigungen mehr erlaubt, seit es eine neue Begräbnisstätte außerhalb des Ortes gab. In diesem Fall wurde eine Ausnahme gemacht, da die Familie nach wie vor einflussreich war und die Parzelle bereits vor Jahren gekauft wurde.

* * *

Es wird wohl auf ewig ein Mysterium bleiben, weshalb Trauerzüge in der westlichen Welt nicht nur diesen Namen tragen, sondern ihm alle Ehre machen. Immerhin wird dem Verstorbenen nach der christlichen Lehre jetzt ein neues, unbeschwertes Leben in fortwährender Glückseligkeit zuteil. Doch statt sich in bunten Gewändern singend und tanzend für und mit ihm darüber zu freuen, wie es in einigen anderen Kulturen praktiziert wird, tragen schwarz gekleidete Männer mit hängenden Köpfen stumm einen Sarg zu Grabe. Und auf dem Weg zu seiner letzten Ruhestätte ist es so still, dass man Blätter von den Bäumen fallen hören könnte.

Da der Weg fast über den ganzen Friedhof führte, dauerte die lautlose, von dem Geistlichen in würdevollen, kleinen Schritten angeführte Prozession eine Weile. Hinter ihm gingen die Sargträger, dicht gefolgt von den ebenfalls schwarz gekleideten Angehörigen des Verstorbenen. Dahinter gab es eine etwas größere Lücke, an die sich die Schaulustigen in ungeordneter Formation und meist in Straßenkleidung gewandet anschlossen. Wiederum einige Schritte hinter diesen folgten die blonde Frau und ihr korpulenter Begleiter. Sie blickten auf ihrem Weg aufmerksam nach links und rechts, und einem unbeteiligten Zuschauer wäre es aufgrund dieses auffälligen Verhaltens niemals in den Sinn gekommen, sie einer der beiden anderen

Gruppen zuzuordnen. Doch solch einen Beobachter gab es nicht.

Endlich war der Trauerzug an der offenen Grube angekommen, wo der Totengräber bereits auf seinen Einsatz wartete. Er hatte sie am Vortag in aller Ruhe ausgehoben, nachdem der Friedhof für die Öffentlichkeit geschlossen war, und sie kurz vor Beginn des Gottesdienstes mit dem notwendigen Sarglift ausgestattet. Es handelte sich um das letzte Grab in dieser Reihe und eine weitere Beerdigung würde es auch nicht mehr geben. Ganz gleich, ob man nun Einfluss hatte oder nicht.

Die Sargträger stellten ihre Last erleichtert auf den Seilzügen des Liftes ab und traten rückwärts in die Menge zurück, die sich darum versammelt hatte. Der Pfarrer sprach unter Einsatz seines Weihwasserbehälters ein paar letzte Wort und ein Gebet, bevor er dem Totengräber ein stummes Zeichen gab. Der trat einen Schritt vor und drückte einen Knopf am Lift, worauf sich der Sarg langsam hinabsenkte.

Wie alles in diesem Land, welches die Bürokratie erfunden hatte, waren auch die Abmessungen der Grube zentimetergenau in der Friedhofssatzung festgelegt. Die wichtigsten Vorgaben bestanden aus der Breite und der Tiefe. Diese hatte exakt 1,80 Meter bei einem Einzelgrab zu betragen oder bei einem Doppelgrab, sofern die Särge nebeneinander liegen sollten. Außerdem musste ein Abstand von neunzig Zentimetern zur Oberfläche eingehalten werden. Wer vermag sich das Gesicht des Friedhofsangestellten vorzustellen, als der ohnehin höher als normal gefertigte Sarg auf dem Weg nach unten bereits nach wenigen Sekunden stoppte und einen halben Meter unter der Oberkante der Grube mit einem verdächtigen, knirschenden Geräusch haltmachte?

Der Totengräber beugte sich mit hochrotem Kopf über die normalerweise zuverlässige Mechanik des Sargliftes und versuchte, die Ursache der Störung zu ergründen. Ein mehrfaches hektisches Hämmern auf den Knopf halfen ebenso wenig wie die Flüche, die er in Anbetracht der Umstände aber nur in Gedanken ausstieß. Und weil die seitlichen Abstände des Sarges zu den Grubenwänden viel zu klein waren, konnte er auch nicht sehen, ob es dort unten ein unvermutetes Hindernis gab.

»Wir werden den Sarg wohl wieder herausheben müssen«, wandte er sich zerknirscht an den Geistlichen, der seinen erfolglosen Bemühungen, die Situation noch zu retten, mit sorgenvoller Miene gefolgt war. Unter den Umstehenden begann sich bereits Unruhe auszubreiten und vereinzelt war verärgertes Gemurmel zu vernehmen. »Leider scheint der Lift beschädigt oder der Sarg irgendwo verhakt zu sein«, fuhr er schulterzuckend fort. »Ich benötige daher ein paar starke Männer, die ihn mit mir herausheben. An die Griffe kommen wir gerade noch heran, wenn wir uns auf den Boden legen!«

Nachdem sich aus den hinteren Reihen der Schaulustigen drei muskelbepackte Männer in Straßenkleidung gemeldet hatten, die aussahen, als seien sie es gewohnt zuzupacken, war der widerborstige und mit Inhalt sicherlich an die drei Zentner schwere Sarg mit vereinten Kräften und trotz des Nieselregens reichlich vergossenen Schweißes zehn Minuten später aus der

Grube gewuchtet worden. Unterstützende Kraftausdrücke verboten sich an diesem Ort von selbst.

Nach einem tiefen Atemzug trat der Totengräber erneut an den Rand der Grube und schaute hinein. Auf den ersten Blick fiel ihm nichts Ungewöhnliches auf. Die Grubenwände waren glatt wie sie sein sollten und nirgends stand etwas vor. Doch auf den zweiten Blick sah er es: Auf dem Grund war nachträglich eine schätzungsweise dreißig Zentimeter hohe, unregelmäßige Erdschicht aufgeschüttet worden, und aus dieser ragte etwas hervor, das in *dieser* Form in dem Grab nichts zu suchen hatte. Womöglich war es aber für das zuvor gehörte Geräusch verantwortlich. Der Totengräber wurde sofort weiß wie eine Wand und holte sein Handy hervor, um die Polizei zu rufen.

\* \* \*

Die stand eine Viertelstunde später in Form von zwei uniformierten Polizeibeamten vor dem Grab, das mittlerweile bis auf den Totengräber verlassenen war, und begannen es rundherum mit rot-weißem Flatterband zu versehen. Aufgrund des schlechten Wetters hatte die Trauergesellschaft sich mit dem Pfarrer in die Kapelle zurückgezogen. Die meisten der Schaulustigen waren nach Hause gegangen und nur die blonde Frau und ihr Begleiter standen abseits und beobachteten die Bemühungen der beiden Polizisten mit Argusaugen.

Auf der anderen Seite der Hecke, die den Friedhof zur Straße hin abgrenzte, fuhr ein sehr altes, vormals silbergraues Motorrad der Marke BMW vor, dessen Fahrer der Einfachheit halber elegant über die Einfassung sprang, nachdem er sein Fahrzeug aufgebockt und den

Helm abgenommen hatte. Kriminalhauptkommissar Tobias Heller bevorzugte normalerweise zwar weniger spektakuläre Auftritte, aber das Grab lag unmittelbar dahinter und so ging es schneller.

Gleich hinter seinem Motorrad rangierte der VW-Bus der Forensik in eine Parklücke und gegenüber stieg eine hochgewachsene, schwarzhaarige Frau aus ihrem Ford. Tobias Heller drehte sich zu den Neuankömmlingen um. Zwei Forensiker luden bereits ihre Gerätschaften aus dem Auto und Rechtsmedizinerin Martina de Luca trug ihre übliche missmutige Miene zur Schau. Der Leiter der SOKO Rhein-Sieg hatte sie noch nie anders gesehen.

Tobias gesellte sich zu den uniformierten Kollegen und warf einen Blick in die Grube, neben der ein sehr massiv wirkender und aufwändig verzierter Eichensarg stand. Offenbar war er dazu bestimmt gewesen, hier vergraben zu werden, doch daraus würde wohl in den kommenden Tagen nichts werden. Seine letzte Ruhestätte war nämlich in genau diesem Augenblick zu einem Tatort avanciert.

Es war nicht ungewöhnlich, auf einem Friedhof eine Leiche zu finden und noch dazu in einem Grab, aber dass der Schuh hier nicht hingehörte, der zur Hälfte aus dem Erdreich auf dem Grund der anderthalb Meter tiefen Grube ragte, war eindeutig. Und dass darin ein menschlicher Fuß steckte, war wegen des Gesichts, das bleich durch die dünne Erdschicht schimmerte, auch wahrscheinlich. Zwei gebrochene Augen schienen ihn vorwurfsvoll anzuschauen.

Er griff zum Handy und wählte eine Nummer aus den Kontakten. »Herr Doktor Stein? Heller hier«, meldete er sich, als am anderen Ende abgenommen wurde. Der Staatsanwalt war auch an den Wochenenden meist in seinem Büro anzutreffen. »Ich benötige dringend eine gerichtliche Anordnung, die für heute vorgesehene Bestattung bis auf weiteres auszusetzen«, trug er sein Anliegen vor, nachdem er ihm den Sachverhalt kurz geschildert hatte. »Ja, richtig! Und dann noch eine Verfügung, den Mann in dem Sarg ebenfalls in der Rechtsmedizin untersuchen zu dürfen. Es könnte ein unmittelbarer Zusammenhang mit der Leiche in der Grube bestehen und in diesem Fall wäre die Todesursache *beider* Verstorbenen dringend zu klären! Eine Stunde? Danke, ich warte dann hier auf Sie.«

Tobias trat unaufgefordert zur Seite, als die Forensiker damit begannen, den Lift zu demontieren, der immer noch über der Öffnung angebracht war. Bei der Untersuchung, die notgedrungen in der Grube vorgenommen werden musste, wäre das Teil nur im Wege. Stattdessen verlegten sie mitgebrachte Bretter rund um das Loch, um etwaige vorhandene Spuren nicht zu zerstören. Eine der beiden Spezialisten war Rieke Martinen, die Neue in Vogels Team. Die junge Friesin war nämlich trotz der ›Verpackung‹ nicht zu übersehen: Mit 1,78 Meter Körpergröße, ihrer sportlichen Figur, flachsblonden Haaren und für eine Frau sehr breiten Schultern entsprach sie der Vorstellung, die man im Allgemeinen von Nordländern hatte. Sie hantierte mit den schweren Holzbohlen, als wären es Streichhölzer.

»Ich nehme an, dass Sie diese Grube ausgehoben haben«, wandte Tobias sich jetzt an den Friedhofsangestellten. Dass diesem die Situation nicht angenehm war, konnte man ihm förmlich an der Nasenspitze ansehen. Und das, obwohl er es in seiner Funktion als Totengräber im Grunde täglich mit Leichen zu tun haben musste. »Und wann genau war das?«, fügte er hinzu, nachdem der Mann nur stumm mit dem Kopf genickt hatte. Da er ihnen den Rücken zuwandte, sah er nicht die beiden verbliebenen Zuschauer, die sich bei seiner Ankunft hinter einem Grabstein versteckt hatten und soeben davonschlichen.

»Das war gestern nach 19:00 Uhr«, bequemte sich Sebastian Krüger zu einer Antwort. »Um diese Zeit ist der Friedhof ja für Besucher geschlossen. Selbstverständlich wurde die Grube danach ordnungsgemäß gesichert«, fügte er hastig hinzu. »Es ist schließlich kein Vergnügen, in ein Loch von 1,80 Meter Tiefe zu fallen. Da kommt man ohne Hilfe nicht wieder raus!«

»So tief?«, wunderte Heller sich. »Das kam mir gar nicht so vor!«

»Jetzt ist es das auch nicht mehr, Herr Kommissar. Der Tote muss irgendwann in der Nacht beziehungsweise vor 09:00 Uhr heute Morgen hineingeworfen worden sein. Da habe ich den Lift montiert. Hineinfallen kann der nämlich nicht sein, da jemand Erde darüber geschaufelt haben muss. Wahrscheinlich hat er die von dem Aushub genommen, die Schaufel lag daneben. Hab da aber auch nicht hingeschaut, sonst hätte ich die Bescherung gesehen. Das war echt peinlich, als der Sarg da nicht ganz reinpasste, das können Sie mir glauben!«

In diesem Moment ertönte von der Grube her ein lautes Geräusch wie von einer Turbine und machte jeden Versuch, die Befragung fortzusetzen, zunichte. Tobias hatte aber genug gehört und wandte sich den

Forensikern zu, die soeben begannen, die Erde über der Leiche mit einem überdimensionierten Sauggerät abzutragen. Er hatte sowas noch nie gesehen, doch es war wohl die einzig sinnvolle Methode und sie hatte den unschätzbaren Vorteil, dass man den Dreck im Labor später untersuchen konnte. Die Rechtsmedizinerin stand abseits und trat ungeduldig von einem Fuß auf den anderen. Als Rieke Martinen ihr mit dem gestreckten Daumen zu verstehen gab, dass sie jetzt fertig seien, sprang Martina de Luca kurzerhand in die Grube und begann unverzüglich mit ihrer Arbeit. *Ich bin ja mal gespannt, wie die da nachher wieder rauskommen will*, dachte Tobias amüsiert. Denn jetzt, wo die überzählige Erde abgesaugt war, befand sich der Rand der Grube definitiv über ihrem Kopf.

Jenseits der Hecke, über die er vorhin gesprungen war, winkte ihm eine massige Gestalt zu. Tobias sah auf seine Armbanduhr: Dr. René Stein war pünktlich auf die Minute. Er ließ sich die Gerichtsbeschlüsse herüberreichen und informierte den Staatsanwalt im Gegenzug über die spärlichen Erkenntnisse, die er bis jetzt erlangt hatte. Nach einem dankenden Nicken schlenderte er ohne große Eile zur Friedhofskapelle. Er hatte die undankbare Aufgabe, der Trauergesellschaft den endgültigen Abbruch der für heute vorgesehenen Bestattung zu verkünden.

\* \* \*

Die Diskussion mit den Hinterbliebenen hatte ihn länger aufgehalten, als er es geplant hatte, doch als er eine halbe Stunde später zum Grab zurückkehrte, bot sich ihm ein Anblick, der ihn für alles entschädigte, was er in all den Jahren durch die ruppige Art der

Rechtsmedizinerin hatte erdulden müssen: Martina de Luca war ja vorhin in seinem Beisein in die Grube gesprungen, um die Leiche auf deren Grund zu untersuchen. Als sie jetzt hinausklettern wollte, musste sie feststellen, dass ihr dies ohne Hilfe gar nicht möglich war, da der Rand zwei Zentimeter über ihrem Scheitel lag. Rieke Martinen reichte ihr mehr oder weniger im Vorübergehen die Hand und zog sie beinahe lässig heraus, wobei die Pathologin sich geistesgegenwärtig mit den Füßen an der Grubenwand abstützte.

»Danke!«, sagte die Rechtsmedizinerin knapp, als sie wieder auf ebener Erde stand. Die Verlegenheit über ihr Missgeschick war ihr deutlich anzusehen.

»Da nich' für«, nuschelte Rieke Martinen einsilbig, nickte ihr noch einmal zu und ging ihrer Wege. Wie die meisten ihrer Landsleute war sie keine Freundin vieler Worte.

# Kapitel 2

*Ein Ärgernis und eine Hiobsbotschaft*

Tobias Heller warf die heutige Ausgabe vom *Rhein-Sieg-Echo* voller unterdrückter Wut mit einer solchen Wucht quer über den Tisch, dass sie bei der auf dieser Seite ganz hinten sitzenden Vanessa Fuchs zu liegen kam, und das waren mehr als zwei Meter.

## Ein Toter zu viel im Grab

**Troisdorf.** Es sollte eine ganz normale Beerdigung werden, obwohl der reichste Mann der Stadt zu Grabe getragen wurde. Bei Dauerregen hatten sich über fünfzig Personen auf dem alten Friedhof eingefunden, die meisten davon sicherlich Schaulustige. Schadenfreude war auf deren Gesichtern zu sehen, als der skrupellose Bauunternehmer Antonius E., wegen des rüden Umgangs mit den Mietern seiner zahllosen Immobilien schon zu Lebzeiten nicht sonderlich beliebt, offenbar auch in seiner letzten Ruhestätte nicht erwünscht war. Denn der Sarg blieb auf halbem Weg nach unten stecken und musste mühsam mit Muskelkraft wieder herausgehoben werden. Es gelang uns, vor dem Eintreffen der Polizei einen Blick in die Grube zu werfen. Der Grund für das Malheur war eindeutig: Es lag ein Toter darin, wohlgemerkt *ohne* Sarg. Ausführlicher Bericht auf Seite 3. (*lei*)

»Hat einer von euch diese Schmiererei gelesen?«, stellte er gefährlich leise eine eher rhetorische Frage in den Raum. Da niemand Anstalten machte, danach zu greifen, lautete die Antwort wohl ›Ja‹. »Wenn ich die Leitner und ihr Faktotum Grohmann in die Finger bekomme!«, grollte er. »Den Fotos gemäß müssen die von Anfang an auf dem Friedhof gewesen sein und sich die ganze Zeit hinter meinem Rücken versteckt haben, sonst hätte ich sie gesehen. Solche Leute sind sich nicht zu schade, einen Grabstein als Deckung zu benutzen und davon gibt es dort ja reichlich! Und in dieser Form über einen Verstorbenen zu schreiben, gehört sich sowieso nicht. Aber was soll man von der Schnepfe schon anderes erwarten!«

Irene Leiter, selbst ernannte ›Starreporterin‹ der nur im Rhein-Sieg-Kreis erscheinenden Zeitung, und Tobias Heller verband eine über ein Jahrzehnt andauernde Hassliebe. Eine Zeitlang schien es, als verfüge die oftmals ›übermotivierte‹ Journalistin über hellseherische Fähigkeiten, bis man einen Informanten in den Reihen der Kriminalpolizei entlarvte, der sie mit meist nicht für die Öffentlichkeit bestimmten Fakten versorgte. Das war jedoch seit drei Jahren Geschichte, der Mann wurde entlassen.

»Ich weiß überhaupt nicht, was du hast«, grinste Jasmin Brandt und gab damit gleichzeitig zu, diesen Artikel gelesen zu haben. Da er heute erschienen war, musste das schon während ihrer Dienstzeit gewesen sein. Tobias hatte grundsätzlich nichts dagegen, da es seiner Meinung nach nie verkehrt war, sich über das aktuelle Tagesgeschehen in ihrem Zuständigkeitsbereich zu informieren. »Du bist auf den Fotos total gut getroffen, wenn auch bloß von hinten. Ist das eigentlich eine kahle Stelle da an deinem Hinterkopf oder handelt es sich bei diesem hellen Fleck um eine Spiegelung?«, fügte sie mit unschuldiger Miene hinzu.

»Wenn du einen halben Meter größer wärst, könntest du nachsehen«, konterte er. Selber Schuld, wenn sie ihm einen solchen Ball zuwarf. Für diesen Return musste er nicht mal nachdenken. »Kommen wir aber nun zu dem aktuellen Fall. Ich habe ihn sofort heute früh dem Kriminalkommissariat 1 angeboten, da wir nicht automatisch zuständig sind, doch deren Leiter hat dankend abgelehnt. Es ist demnach jetzt unsere Baustelle!« Er verkniff sich bei dieser offensichtlichen Analogie ein Grinsen, dafür war die Angelegenheit zu ernst und es wäre auch pietätlos gewesen.

»Über die groben Einzelheiten hat euch ja schon die ›Kollegin‹ Leitner informiert«, ätzte er. »Von dem ganzen Schrott, den sie wieder abgesondert hat, ist allerdings nur die eine Tatsache von Bedeutung, dass in der am Vortag ausgehobenen Grabstelle zum Zeitpunkt der Bestattung eine Leiche lag. Ich kann euch jedoch zusätzlich noch sagen, dass sie männlich ist, vollständig bekleidet und bis auf den linken Fuß, der herausragte, komplett mit Erde bedeckt war.«

»Womit wir bereits bei der Analyse der Erde angekommen wären«, ergriff Rieke Martinen vorlaut das Wort. Die Friesin sprach zwar nicht so gerne, aber im Gegensatz zu ihrem Chef musste man sie nicht eigens dazu auffordern. Die fünfundzwanzigjährige Forensikerin war nicht nur das jüngste Mitglied in Jürgen Vogels Team, sondern nach der IT-Spezialistin Amara Jones die zweite Frau und die einzige ›echte‹ Spurensucherin. Ihr Fachgebiet waren Hinterlassenschaften wie Schuh- und Fingerabdrücke, sowie chemische Analysen aller Art. Da ihr Chef sich derzeit in Urlaub befand, war sie an seiner Stelle erschienen.

»Ich habe den Dreck, der über der Leiche angehäuft war, gründlich untersucht und keine Fremdgegenstände gefunden, die eventuell vor oder während der Tat hineingelangt sein könnten«, fuhr sie fort. Notizen oder andere Unterlagen hatte sie nicht mit in die Besprechung gebracht, offenbar verfügte sie über ein ausgezeichnetes Gedächtnis. »Es handelt sich also einfach nur um Erde, die allerdings exakt dieselbe chemisch-biologische Zusammensetzung aufweist wie der Aushub, der neben der Grube aufgeschüttet war. Die Schaufel, die dort lag, wurde als Beweismittel mitgenommen und ebenfalls gründlich untersucht. Sie weist jedoch weder Fingerabdrücke noch DNA auf.«

»Das war doch mal eine klare Ansage!«, freute sich Tobias Heller über die zwar erschöpfenden, aber kurz gefassten Ausführungen der jungen Frau. Von ihrem Chef waren sie diesbezüglich ganz anderes gewohnt. Jürgen Vogel musste man je nach Tagesform oft jedes Wort einzeln aus der Nase ziehen. »Dass in der Erde und an dem Grabwerkzeug keine Spuren zu finden sind, war aber zu erwarten. Der Totengräber, der die Schaufel sonst benutzt, trägt bei der Arbeit Handschuhe, was für den Täter auch gelten dürfte. Sofern es nicht ein tragischer Unfall war, doch wer sollte in dem Fall die Erde darüber geschaufelt haben?«

»Außerdem hörte ich, wie die Rechtsmedizinerin sagte, dass der Mann mehrere Verletzungen aufweist, die nicht von einem Sturz herrühren können«, erinnerte die Forensikerin sich. »Zudem fällt man in der Regel vornüber in ein Loch. Wir haben jedoch ebenerdig Schuhabdrücke mit drei verschiedenen Profilen gefunden, die nicht von ihm stammen. Einige davon werden bei den Grabarbeiten entstanden sein, doch es gibt zusätzlich zwei sehr aufschlussreiche Spuren mit auffällig unterschiedlicher Ausprägung. Bei den tieferen Abdrücken habe ich aufgrund der Bodenbeschaffenheit ein Gewicht von einhundertfünfzig bis einhundertsechzig Kilogramm für den Träger dieser Schuhe errechnet. Dasselbe Sohlenprofil befindet sich an anderer Stelle jedoch deutlich flacher. Da komme ich auf achtzig bis neunzig Kilogramm!«

»Mit anderen Worten hat der Träger dieser Schuhe innerhalb von ein paar Minuten siebzig Kilogramm abgespeckt oder etwas getragen, das so schwer war«, resümierte Tobias. »Die Leiche könnte in etwa dieses Gewicht haben, ich werde Frau Doktor de Luca darauf ansprechen. Danke, Rieke! Das hat uns sehr weitergeholfen! Das bedeutet«, wandte er sich an seine Leute, »dass der Tote irgendwann zwischen Freitagabend und Samstagmorgen in die Grube geworfen worden sein muss. Später war das nicht mehr möglich, da der Totengräber zu dieser Zeit den Sarglift anbrachte. Die Schuhspuren waren jedoch darunter. Außerdem wird der Täter gewartet haben, bis es dunkel war oder vor Sonnenaufgang tätig geworden sein. Der geschätzte Todeszeitraum nutzt momentan nicht viel, da er eine Spanne von gut vier Stunden umfasst, die allerdings in dem von mir skizzierten Rahmen liegen dürften.«

»Daraus ergeben sich für mich zwei Ermittlungsansätze«, ließ sich Martin Weber vernehmen. »Zum einen war der Täter sehr kräftig, und zweitens wird der Fundort der Leiche mit hoher Wahrscheinlichkeit nicht mit dem Tatort identisch sein. Diesen müssen wir finden! Außerdem bleibt, wenn ich das recht verstanden habe, immer noch ein Sohlenprofil übrig, das nicht zugeordnet werden konnte. Das sollten wir ebenfalls nicht aus den Augen verlieren!«

»Das kann von sonst wem sein!«, widersprach sein Partner Jonas Faber ihm sofort. »Solange wir keine Vergleichsmöglichkeiten haben, nutzt uns das überhaupt nichts. Wenn der Tod des Opfers aber tatsächlich innerhalb derselben Zeitspanne eintrat, die auch für diese Aktion am Grab gilt«, fügte er hinzu, »heißt das jedoch im Grunde nichts anderes, als dass der eigentliche Tatort nicht weit entfernt sein kann. Das sollten wir in unsere Rechnung unbedingt mit einbeziehen!«

»Das ist eine verdammt lange Zeit!«, meldete sich Erik Hagel zu Wort. Der Kommissaranwärter hatte kürzlich das zweite Semester an der Polizeiakademie abgeschlossen und war bis zum Beginn des Folgesemesters wieder ganztägig anwesend. Allerdings war für die letzten zwei Wochen Urlaub eingeplant. »Für das Verscharren rechne ich großzügig eine Stunde. Dann bleiben immer noch drei weitere, den Mann zu töten und dorthin zu schaffen. Da kommt ein Radius von halb Deutschland in Betracht!«

»Wir werden den Rahmen sicher noch um einiges verkleinern können«, gab sich Tobias zuversichtlich. »Und das erreichen wir am besten, indem wir uns im Umfeld dieses Friedhofs umhören, ob jemand etwas Verdächtiges bemerkt hat. Er liegt inmitten des alten Ortskerns und in der Nähe sind ein Blumenladen und eine Bushaltestelle. Ein paar Gaststätten gibt es ebenfalls, wie ich gesehen habe. Weiterhin kann im Zuge der Obduktion durchaus ein kleinerer Zeitrahmen für den Todeszeitpunkt ermittelt werden, sodass das Zeitfenster sich allein dadurch drastisch verringern dürfte.

Außerdem werden wir natürlich wie immer zuerst die Identität des Toten herausfinden. Papiere hatte er nämlich nicht bei sich. Ein unmittelbarer Zusammenhang mit dem Mann, der eigentlich dort begraben werden sollte, ist ebenfalls nicht auszuschließen, weshalb ich auch für ihn eine Autopsie durchführen lasse. Sofern sich mein Verdacht bestätigt, dass er keinesfalls eines natürlichen Todes starb, sieht die Sache schon ganz anders aus!«

»Und wenn das alles bloß ein unglaublicher Zufall war?«, zweifelte Vanessa. »Die offene Grube könnte ja auch einfach nur eine höchst willkommene Gelegenheit gewesen sein, die Leiche zu entsorgen. Sagtest du nicht, dass man das Grab von der Straße aus einsehen kann?«

»Das würde aber bedeuten, dass der Täter mit dem Opfer nachts sinnlos durch die Gegend fährt, bis er irgendwo ein Loch findet, das er nicht selbst graben muss«, lächelte der SOKO-Chef. »Natürlich kann das möglich sein, doch vorstellen kann ich mir das beim besten Willen nicht. Nein, es ist auf jeden Fall wahrscheinlicher, dass die Leiche gezielt zu diesem Zeitpunkt an dieser Stelle entsorgt wurde, was aber für eine detailliert geplante Tat spräche! Und was läge dann näher als die Vermutung, dass auch der Tod des Bauunternehmers kein Zufall war?«

Bevor noch einer der anderen Ermittler auf Hellers Einschätzung reagieren konnte, wurde die Tür aufgestoßen und der hochrote Kopf ihres obersten Dienstherrn in diesem Gebäude erschien. Davon abgesehen, dass sich Kriminaldirektor Albrecht nie aus seinem Büro herausbewegte, wenn nicht gerade der Leibhaftige persönlich hinter ihm her war, konnte die ungesunde Farbe kaum der Anstrengung geschuldet sein, denn sein Refugium befand sich auf derselben Etage, nur zwanzig Meter den Flur herunter. »Hier stecken Sie also, Heller!«, blaffte er. »Wieso gehen Sie nicht an ihr Telefon?« So aufgeregt hatte Tobias ihn noch nie erlebt, sogar der monotone, leiernde Tonfall, mit dem er ihn immer nervte, war verschwunden.

»Weil ich in einer wichtigen Fallbesprechung bin, wie sie sehen!«, konterte Tobias und hielt demonstrativ sein Diensthandy hoch. »Wieso rufen Sie dann nicht auf meinem Mobiltelefon an?«, drehte er den Spieß einfach um »Was gibt es denn so Dringendes, das nicht bis später warten kann?«

»Auf ein Wort, Heller!«, schnarrte Albrecht, ohne weiter darauf einzugehen. »In Ihrem Büro!«, fügte er mit erhobener Stimme hinzu, weil sein Untergebener keinerlei Anstalten machte, seinen Platz zu verlassen, und ihn stattdessen abwartend ansah.

»Wir unterbrechen kurz«, wandte Tobias sich an seine Leute. »Ihr könnt in der Zwischenzeit schon mal die anstehenden Aufgaben unter euch verteilen. Ihr wisst, worum es geht. Es dauert bestimmt nicht lange, bis ich zurück bin.« *Wenn ich dann noch euer Chef bin*, dachte er unbehaglich, während er dem Kriminaldirektor nach draußen folgte. Einer Verfehlung war er sich jedoch nicht bewusst. Nicht heute.

\* \* \*

»Bevor wir fortfahren, muss ich euch eine Mitteilung machen«, begann Tobias Heller mit ungewohnt ernster Miene. Das Gespräch mit dem Vorgesetzten hatte tatsächlich nur ein paar Minuten gedauert und es war noch wesentlich unangenehmer ausgefallen, als er es sich vorgestellt hatte. »Ich erhielt soeben die Nachricht, dass Ljudmila Sokolowa gestern aus der forensischen Psychiatrie entflohen ist! Heute wäre ihr erster Verhandlungstag vor dem Schwurgericht gewesen. Kriminaldirektor Albrecht überließ mir die Entscheidung, wie weit ich euch über diesen Vorfall informieren möchte, aber ich bin der Meinung, dass es uns alle angeht!« Sofort setzte erregtes Gemurmel ein, was Tobias diesmal ausnahmsweise ohne ermahnenden Zwischenruf hinnahm. Dieses Ventil musste er seinen Leuten einfach mal lassen.

Ljudmila Sokolowa wurde als Regina Berger in der damaligen DDR geboren. Das war leider bis heute die einzige gesicherte Erkenntnis, da sie sich über ihre Vorgeschichte beharrlich ausschwieg und man ihr in der Zwischenzeit zudem eine multiple Persönlichkeit attestiert hatte. Der Rest war daher pure Spekulation. Vermutlich gelangte sie als Vierjährige auf abenteuerliche und bis heute nicht ganz geklärte Weise nach Russland, wo sie wahrscheinlich vom KGB oder einer ähnlichen Einrichtung zur Attentäterin ausgebildet wurde.

Die SOKO Rhein-Sieg wurde vor einigen Wochen durch eine Serie gleichartiger, extrem brutal ausgeführter Morde auf die Frau aufmerksam. Alle hatten ehemalige Spielgefährten zum Ziel, die ihrer Ansicht nach am Tod ihrer Eltern schuldig waren. Der Showdown fand schließlich im Hause ihres vierten auserkorenen Opfers statt, einer Cousine, deren Ermordung man im letzten Augenblick gerade noch hatte verhindern können.

»Aber wie ist das möglich?«, fragte Jasmin Brandt, nachdem man sich einigermaßen beruhigt hatte. Die Kommissarin war maßgeblichen an der Festnahme der mehrfachen Mörderin beteiligt gewesen. »Solche Einrichtungen sind mindestens so sicher wie jede beliebige Justizvollzugsanstalt, wenn nicht sogar noch sicherer! Das sind praktisch Hochsicherheitstrakte, wie kann man denn daraus entkommen?«

»Es ist ja beileibe nicht das erste Mal, dass sowas vorkommt«, hob Tobias die Schultern. »Genaueres ist mir derzeit nicht bekannt, es ist aber im Grunde auch unerheblich. Wichtig ist für uns nur, dass eins ihrer auserkorenen Opfer noch lebt und in größter Lebensgefahr ist. Ihr wisst, wie kompromisslos diese Person vorgeht, Petra Unger muss daher sofort unter Polizeischutz gestellt werden!«

»Wir wissen doch, wo sie auftauchen wird, Chef!«, schlug Martin Weber vor. »Wir müssen also lediglich abwarten, bis sie am Haus der Ungers erscheint und sie in Empfang nehmen!«

»Das ist viel zu gefährlich«, schüttelte Heller den Kopf. »Vergiss nicht, dass sie dort bereits gewesen ist und die Lokalität kennt, immerhin wurde sie da von uns festgenommen. Wir müssten schon tagelang ein komplettes Einsatzkommando dort postieren, um sie aufzuhalten. Du weißt selbst, dass dies völlig unmöglich ist! Zudem ist das Verhalten eines Menschen mit dissoziativer Identitätsstörung nicht immer vorhersehbar. Je nachdem, ob die Regina-Berger-Persönlichkeit oder die der Ljudmila Sokolowa die Kontrolle hat, können die Reaktionen vollkommen unterschiedlich ausfallen. Erinnert euch an das irrationale Verhalten

bei ihrer Festnahme, als sie mir ihre Geisel entgegen-
schleuderte und sich uns damit schutzlos auslieferte.
Ich bin sicher, dass in diesem kurzen Augenblick die
auf Kindesniveau zurückgebliebene Regina das Sagen
hatte. Das würde die Trotzreaktion erklären.«

»Und was sollen wir dann tun?«, erkundigte sich
Jonas Faber. »Wir können doch nicht einfach tatenlos
zusehen!« Der Oberkommissar saß auch heute wieder
in Anzug und mit akkurat gescheitelter Frisur neben
seinem Ermittlungspartner Martin Weber, der wie
üblich optisch das genaue Gegenteil darstellte.

Das angegraute Haar stand ihm wirr vom Kopf ab,
und die extrem ›legere‹ Bekleidung aus verwaschener
Jeans und ausgeblichenem Holzfällerhemd wirkte im
direkten Vergleich fast schäbig und war ein ständiger
Kritikpunkt seines Partners. Die ausgetretenen Sport-
schuhe waren unter dem Tisch nicht zu sehen. Wobei
Martin lediglich für die Kleidung verantwortlich war,
denn die Frisur war aufgrund zahlloser Wirbel durch
keinen Kamm dieser Welt zu bändigen, weshalb er es
gar nicht erst versuchte.

»Wir müssen jetzt extrem schnell sein, denn es ist
davon auszugehen, dass sie bereits detaillierte Pläne
für den sehr wahrscheinlich geplanten Mord an Petra
Unger hat«, nickte Tobias mit ernstem Gesicht. »Ich
werde mich daher gleich anschließend mit dem LKA in
Düsseldorf in Verbindung setzen. Die sollen uns sofort
ein *Safe House* einschließlich Personenschutz zur Verfügung stellen, bis die entflohene Mörderin wieder hinter Schloss und Riegel ist. Ich denke, das ist die beste
Option, die wir haben!«

Er dachte einen Moment intensiv nach. »Der Mann vom Friedhof ist bereits tot. Ihm können wir nicht mehr helfen, Petra Unger aber schon. Vergesst daher alles, was ich vorhin sagte. Stattdessen fahren zwei von uns auf der Stelle nach Kaldauen und passen da auf die mutmaßliche Zielperson auf. Wenn es länger dauern sollte, wechselt ihr euch ab. Mehr können wir momentan nicht tun.«

»Die jeweils im Kommissariat wartenden Kollegen könnten währenddessen Recherchen zum Friedhofsfall anstellen!«, schlug Vanessa vor. »Dann verlieren wir nicht ganz so viel Zeit!«

»Das versteht sich ja von selbst. Viel zu ermitteln gibt es dabei zwar derzeit nicht, doch zwei von euch könnten am Friedhof herumfragen. Sie müssten aber jederzeit erreichbar sein, falls ein Einsatz in Kaldauen notwendig wird.« Er wandte sich an Jasmin: »Da wir beide schon mal das zweifelhafte Vergnügen hatten, dieser Ljudmila zu begegnen und auch das Haus der Ungers gut kennen, schlage ich vor, dass du mit mir dorthin fährst, sobald ich mit dem LKA die Sache mit dem *Safe House* geklärt habe. Erik und Jonas machen die Befragungen und Vanessa und Martin halten sich für alle Fälle hier im Kommissariat bereit. Ich denke, so sind unsere Ressourcen bestmöglich aufgeteilt.«

»Auf jeden Fall haben wir zwei uns ganz umsonst in Schale geworfen, Chef!«, merkte Jasmin an. Da sie für den Nachmittag als Zeugen zur Gerichtsverhandlung geladen waren, hatten beide sich etwas besser gekleidet als sonst. Jasmin saß für alle ungewohnt in Rock und Bluse am Tisch, Tobias hatte ein Jackett zu einer offenbar neuen Jeans übergeworfen und festes Schuhwerk an den Füßen anstelle der üblichen Turnschuhe. »Aus dem Gerichtstermin wird dann ja wohl heute nichts!«

# Kapitel 3

## *Gegen die Zeit*

»Ist irgendwie ein komisches Gefühl, auf das Pedal zu treten und sich das Fahrgeräusch nicht großartig dabei ändert«, merkte Jasmin an, als sie den Audi von der L84 auf den Privatweg lenkte, der zum Anwesen der Familie von Kaltenbach führte. Im Anschluss an das wenig erfreuliche Gespräch mit dem LKA hatte Tobias kurzfristig umdisponiert und mit ihr umgehend die Fahrt nach Lohmar angetreten.

In Kaldauen bei Petra Unger war jetzt die ›Ersatzmannschaft‹, also Martin und Vanessa, um wenigstens für heute deren Schutz zu übernehmen. Die auf das höchste gefährdete Frau war tagsüber allein, da ihr Mann für eine bekannte Computerfirma arbeitete und meist erst am Abend nach Hause kam. Irgendwie war alles dumm gelaufen.

Bei der hinreichend bekannten Kompromisslosigkeit, mit der die entflohene Ljudmila Sokolowa bei ihren ›Exekutionen‹ vorzugehen pflegte, kam es jetzt buchstäblich auf jede Minute an. Die Bemerkung der Kommissarin bezog sich hingegen auf ihren Dienstwagen. Sie hatten eins der neuen Fahrzeuge mit Elektroantrieb erhalten. Sobald die restlichen Leasingverträge ebenfalls ausgelaufen waren, würden sämtliche Autos entsprechend ausgerüstet werden, wie Tobias erfahren hatte.

»Das wird mit ein Grund dafür sein, weshalb sich vor allem die Männer mit Händen und Füßen gegen die neue Technik sträuben und verzweifelt die fadenscheinigsten Gegenargumente vorbringen«, antwortete er. »Eine ähnliche Diskussion gab es früher schon bei der Frage, ob ein Automatikgetriebe besser ist als eine Schaltung. Aber jetzt sind selbst die leistungsfähigsten Autos kaum lauter als ein Kleinwagen und eignen sich dadurch nicht mehr als Schwanzersatz!«

»Ein elektrischer Ferrari hätte aber was!«, grinste Jasmin. »Man könnte doch für diese spezielle Kundschaft einen Soundgenerator einbauen, der mit dem ›Gaspedal‹ gekoppelt ist und für das nötige Motorgeräusch sorgt. Das müsste die Verkaufszahlen wieder anheben und man könnte die ›Leistung‹ des Motors jederzeit mit einem Lautstärkeregler erhöhen!«

»Lass es dir doch als Patent eintragen«, riet Tobias ihr lachend und wurde sofort wieder ernst, weil die schier endlose scheinende Mauer des riesigen Anwesens des Multimillionärs in ihr Gesichtsfeld kam. War das tatsächlich schon ein Jahr her, dass er gemeinsam mit seiner damaligen Partnerin vorgefahren war, um dem Hausherrn die Hiobsbotschaft von der Entführung seiner Tochter zu überbringen?

Denise Malowski hatte kurz darauf für alle überraschend aus persönlichen Gründen ihren Dienst quittiert und Wolfgang Müller, ebenfalls ein langjähriger Kollege in Donners Kommissariat, hatte seinen Beruf ein paar Wochen später ebenso unerwartet an den Nagel gehängt und arbeitete seitdem hinter diesen Mauern als Leibwächter und Hubschrauberpilot. Und um ihn ging es jetzt bei diesem Besuch auch.

Es war ein verzweifelter Versuch, diese verfahrene Situation noch irgendwie zu retten, denn eine nochmalige Anfrage um Amtshilfe bei seinem früheren Kommissariat hatte ihm erneut eine klare Absage eingebracht. Infolge von Urlaub und zwei Krankmeldungen war Donners Abteilung derzeit hoffnungslos unterbesetzt und hatte außerdem mit der Suche nach einem Zweitklässler ausreichend zu tun, der auf dem Heimweg auf bisher ungeklärte Weise verschwunden war. Man rechnete mit dem Schlimmsten.

Da er sich ebenso wenig aufteilen konnte wie seine Ermittler, mussten die vorhandenen Ressourcen jetzt neu verteilt werden, denn die galten der Agenda der Polizei gemäß in erster Linie den Lebenden und nicht den Toten. Bis Petra Unger sich in relativer Sicherheit befand, musste der andere Fall daher zurückgestellt werden. Dass anschließend eine erneute Aufnahme der Ermittlungen nicht gerade leicht werden würde, war anzunehmen, jedoch unvermeidbar.

Auf der Suche nach einer hinlänglich zufriedenstellenden Lösung war ihm Alexander von Kaltenbach in den Sinn gekommen, der ihm seinerzeit jegliche Art von Unterstützung angeboten hatte, nachdem es ihnen innerhalb weniger Tage mit vereinten Kräften gelungen war, seine elfjährige Tochter Samantha aus den Händen skrupelloser Entführer zu befreien.

Er wurde aus seinen Gedanken gerissen, als der Wagen an dem vier Meter breiten Tor aus Panzerstahl haltmachte und Jasmin den Knopf der Meldeanlage betätigte. Kurz darauf schwangen die Flügel surrend beiseite und gaben ein atemberaubendes Panorama frei, denn das Areal dahinter war riesig.

»Herr Heller! Welch angenehme Überraschung!«, wurde er von Alexander von Kaltenbach begrüßt, als er und Jasmin von einem Bediensteten in das Arbeitszimmer des millionenschweren Industriellen geführt wurden. *Dabei weiß er von unserer Ankunft, seit wir vor dem Tor angekommen sind*, dachte Tobias. Es war kein großes Geheimnis, dass die Grundstücksgrenzen lückenlos elektronisch überwacht wurden, und von diesem Raum aus konnten die Bilder der wichtigsten Kameras eingesehen werden. Dass Wolfgang Müller ebenfalls zugegen war, konnte ihn auch nicht überraschen. Er lächelte seinem ehemaligen Weggefährten freundlich zu.

»Wir haben uns vor einem Jahr bei einem weniger erfreulichen Anlass das letzte Mal in diesen Räumen gesehen. Was führt Sie denn heute zu mir?«, kam von Kaltenbach gleich zur Sache. Er war kein Mann vieler Worte und Zeit war bei ihm tatsächlich Geld. Wahrscheinlich verdiente er in diesen Minuten mehr als Tobias in einem Monat. »Wenn es um die Friedhofsleiche geht, damit habe ich nichts zu tun! Meinen Glückwunsch übrigens zur neuen Dienststellung!«

»Sie haben nicht zufällig was *damit* zu tun?« Dass dieser Mann über den Vorfall informiert war, konnte ihn nicht verwundern, schließlich las er täglich ein halbes Dutzend Tageszeitungen und wusste über alle Vorgänge in dieser Gegend Bescheid. Wahrscheinlich konnte in seinem Revier nicht mal ein Eichhörnchen furzen, ohne dass er das mitbekam. Die nächsten Worte von Kaltenbachs taten dies aber, denn es hatte definitiv *nicht* in der Zeitung gestanden!

»Nein, ich denke, um die Friedhofssache geht es nicht. Dann wird Ihr Erscheinen wohl mit der russischen Serientäterin zusammenhängen, die gestern aus der forensischen Psychiatrie ausgebrochen ist«, sagte von Kaltenbach leichthin. Es stimmte also, dass er über Verbindungen bis in höchste Kreise verfügte. Tobias nahm die beiläufig vorgetragene Information mit unbewegtem Gesicht zur Kenntnis, wirklich neu war das für ihn nicht. In letzter Konsequenz bedeutete dies, weniger erklären zu müssen, da seine Zeit ohnehin sehr knapp bemessen war. Stattdessen sah er sein Gegenüber nur fragend an.

»Doch was Ihr neues Aufgabengebiet anbelangt«, fuhr dieser ungerührt fort, »überschätzen Sie meinen diesbezüglichen Einfluss ein wenig, fürchte ich. Ich will aber gerne zugeben, dass ich möglicherweise bei Gelegenheit eine entsprechende Anregung an geeigneter Stelle vorgebracht habe. Ein kriminalistisches Talent wie Ihres darf man nicht verkümmern lassen. Schade nur, dass Frau Malowski Ihnen nicht gefolgt ist, sie wäre eine Bereicherung für Ihr Team gewesen! Doch wie ich hörte, haben Sie einen hervorragenden Ersatz für sie gefunden.« Die letzten Worte wurden von einem wohlwollenden Blick zu Jasmin an seiner Seite begleitet.

»Es geht tatsächlich um Ljudmila Sokolowa«, kam Tobias zur Sache. Dass von Kaltenbach diesen Namen auch kannte, war anzunehmen. »Oder besser gesagt, um deren viertes Opfer, dessen Ermordung wir in letzter Minute hatten verhindern können. Es ist aber stark davon auszugehen, dass sie ihre wiedergewonnene Freiheit dazu benutzt, das nun nachzuholen.«

»Was ist daran jetzt so kompliziert?«, erhob Müller seine Stimme. Er hatte bisher stumm zugehört. »Ihr wisst, wo diese Dame auftauchen wird, und braucht sie dort nur in Empfang zu nehmen!«

»Das höre ich nicht zum ersten Mal, Wolfgang. Leider wissen wir aber nicht, *wann* das der Fall sein wird. Ljudmila Sokolowa oder Regina Berger, wie sie ja eigentlich heißt, hat einen langen Atem bewiesen, was das Aufspüren ihrer Opfer anbelangte. Jahre hat sie für ihre Planungen gebraucht! Wir haben einfach nicht die Ressourcen, wochenlang auf sie zu warten!«

»Sie könnte diesmal sicher schneller zuschlagen«, überlegte von Kaltenbach. »Es wird immerhin fieberhaft nach ihr gefahndet!«

»Das wird sie nicht abhalten«, schüttelte Tobias den Kopf. »Außerdem kann ebenso genau das Gegenteil der Fall sein und sie lässt erst Gras über die Sache wachsen. Wir dürfen auch nicht vergessen, dass sie wahrscheinlich über eine entsprechende Ausbildung verfügt und darüber hinaus die Lokation vom letzten Mal bestens kennt. Noch einmal werden wir sie nicht so leicht aufhalten können, zumal wir gleichzeitig ihr auserkorenes Opfer schützen müssen. Zudem widerstrebt es mir, Petra Unger als Lockvogel einzusetzen und damit unnötig ihr Leben zu riskieren!«

»Und jetzt haben Sie sich gedacht, ich könnte sie in meiner Festung aufnehmen, bis die Gefahr vorüber ist, nehme ich an?«

*Darauf hätte ich selbst kommen können*, schalt sich Heller in Gedanken einen Narren. Das Naheliegende wird eben gerne übersehen, aber hier würde gegen den

Willen des Hausherrn nicht einmal eine Fliege hinein-gelangen, zumal von Kaltenbach über eigene Sicher-heitsleute verfügte. *Allerdings wäre es rechtlich zumin-dest bedenklich. Wer übernimmt die Verantwortung, falls doch was passiert?*

»Ich habe beim LKA ein *Safe House* mit Personen-schutz angefordert«, informierte er ihn stattdessen. »Das Haus selbst ist kein Problem, aber leider haben die derzeit nicht genügend Personal übrig, das sie mir auf unbestimmte Zeit zur Verfügung stellen könnten. Ich könnte selbst allenfalls eine Person erübrigen, da dachte ich mir, Sie würden uns diesbezüglich eventuell aushelfen können.« Jetzt war es endlich heraus! Er beo-bachte Alexander von Kaltenbach unauffällig. Der hatte jedoch ein unbeteiligtes Gesicht aufgesetzt, dem nicht anzusehen war, was er in diesem Moment dachte. Wolfgang Müller hingegen riss überrascht die Augen auf.

»Ich stelle mich freiwillig zur Verfügung!«, stieß er grimmig hervor. »Ich habe sowieso noch eine Rech-nung mit dieser Ljudmila offen!« Er griff sich unwill-kürlich an den Kopf, wo ihn ein massiver Blumentopf getroffen hatte, geschwungen von dieser Frau. Damit hatte damals alles begonnen. Er warf seinem Arbeitge-ber einen verstohlenen Seitenblick zu. »Ich könnte mir Urlaub nehmen.«

»Und ich möchte mich ebenfalls zu diesem Einsatz melden!«, ließ sich Jasmin erstmals vernehmen, seit sie hier aufgeschlagen waren. »Dann haben wir zwei Leute mit einer Polizeiausbildung vor Ort, die zudem mit der Attentäterin vertraut sind. Beamte vom LKA hätten diesen Vorteil nicht!«

»Das wäre nur im Extremfall von Nutzen, wenn sie euch dort aufspüren sollte«, äußerte sich Tobias dazu. »Das Haus ist viel zu weit entfernt, um zeitnah Hilfe zu schicken, ihr wärt also für eine ganze Weile auf euch gestellt, falls sie auftaucht. Deshalb müssen wir darauf achten, dass wir sie nicht dorthin führen. Sie braucht ja nur das Haus des potenziellen Opfers zu observieren und uns dann zu folgen. Das wird eine harte Nuss werden, die wir da zu knacken haben.«

»Darf ich auch mal was dazu sagen?«, brachte sich Alexander von Kaltenbach lächelnd in die Diskussion ein. »Zunächst möchte ich etwas loswerden. Meine Familie steht in Ihrer Schuld. Nein, warten Sie!«, hob er gebieterisch die Hand, als Heller zu einem Protest ansetzen wollte. »Natürlich haben Sie nur ihre Pflicht getan, als sie unsere Samantha aus den Fängen ihrer Entführer befreiten, doch Ihr Einsatz – auch der von Müller – ging weit darüber hinaus, und diese Schuld werde ich niemals tilgen können! Selbstverständlich bekommen Sie meinen besten Mann, solange es nötig ist. Ich werde sogar noch eins draufsetzen und Ihnen unseren Helikopter zur freien Verfügung überlassen. Müller ist schließlich ausgebildeter Pilot, damit wird der Transport ein Kinderspiel!«

»Einmal davon abgesehen, dass ihr Hubschrauber ein Zweisitzer ist, wenn ich mich recht erinnere, wird der Abflug alles andere als unbeobachtet vonstattengehen«, hob Tobias Heller die Brauen. »Das wird im Gegenteil ein Riesenspektakel!«

»Und wenn schon! Was will denn diese Ljudmila Sokolowa dagegen machen? Etwa hinterherfliegen? Nein, darauf kann sie auf gar keinen Fall vorbereitet sein, und deshalb ist das die beste Option von allen! Und was die Sitzplätze betrifft, habe ich jetzt zusätzlich einen Helikopter für vier Personen geleast. Oder haben Sie im Ernst gedacht, dass ich Ihnen meinen einzigen Hubschrauber gebe?«

»Außerdem gibt es hundert Meter vom Haus der Familie Unger entfernt eine genügend große Fläche, wo ich meine Kaffeemühle abstellen kann«, ließ sich Müller jetzt vernehmen. Er hatte in der Zwischenzeit den Computer seines Arbeitgebers dazu benutzt, die Lokalität mittels *Google Maps* zu checken. Woher er die Adresse hatte, blieb sein Geheimnis. Offenbar war man hier aber besser vorbereitet, als es den Anschein hatte!

»Das ist mehr, als ich erwartet hatte«, freute sich Heller. »Da ich nicht in der Position bin, dieses großzügige Angebot abzulehnen, nehme ich es dankend an. Wir werden heute noch losfliegen, den genauen Zeitpunkt gebe ich dir später durch«, wandte er sich an Müller. »Die Aktion muss innerhalb von wenigen Minuten über die Bühne gehen. Landen, einsteigen, abheben. Das einzige Hindernis sehe ich in deinem Beruf, denn als Privatmann darfst du hier eigentlich überhaupt nicht tätig werden. Ein Ausweg läge darin, dass Petra Unger dich als Bodyguard engagiert.«

»Ich glaube, das wird das geringste Problem sein«, fasste von Kaltenbach zusammen. »Dann ist wohl an alles gedacht. Ich wünsche Ihnen viel Glück!« Damit war diese höchst merkwürdige Audienz beendet. *Fast könnte man denken, die haben nur auf mein Erscheinen gewartet*, ging es Heller durch den Kopf. *Völlig auszuschließen ist das bei diesem Burschen ja nicht!*

* * *

Die Person, um die sich alles drehte, hockte knapp hundert Meter von der als Landeplatz auserkorenen Fläche unter den Bäumen im Unterholz, von wo sie die Rückseite des Hauses im Blickfeld hatte. Ohne es zu wissen, hatte sich Ljudmila Sokolowa fast dieselbe Stelle am Waldrand ausgesucht, an der sich vor zwei Monaten ein SEK zum Sturm auf das Gebäude vorbereitet hatte, in dem sie sich damals verschanzt hatte. Es wäre ihr aber auch egal gewesen.

Die von Müller angesprochene Freifläche von der Größe eines halben Fußballfeldes lag hinter ihr. Diese Lokalität interessierte sie nicht weiter, wahrscheinlich handelte es sich um einen Gärtnereibetrieb oder vielleicht einen Tennisverein. Jedenfalls gab es außer einem Wohngebäude mehrere Hallen. Uninteressant, weil das Areal achtzig Meter hinter ihr und rundum von einem Gürtel aus Bäumen gesäumt war. Von dort drohte derzeit keine Gefahr, da der einzige Weg, den ihre Häscher nehmen konnten, um ihr in den Rücken zu fallen, an ihr vorbeiführte. Und dazu hätten sie ja erstmal ihre Position kennen müssen.

Dass die Polizei jedoch früher oder später auftauchen würde, war gewiss wie das Amen in der Kirche. Immerhin war sie erst gestern aus der forensischen Psychiatrie entflohen, wo sie bis zur Hauptverhandlung untergebracht war. Selbst der dümmste Polizist konnte sich jedoch denken, was sie jetzt als Nächstes vorhatte. Es musste also extrem schnell gehen, denn die Polizei konnte jeden Augenblick auf der Bildfläche erscheinen. Das Haus lag seit einer Stunde wie ausgestorben vor ihr. War überhaupt jemand da?

Das Entkommen aus der Psychiatrie war hingegen ein Kinderspiel gewesen, denn was dazu notwendig war, hatte sie seit Jahren ständig bei sich. Da half auch weder eine Leibesvisitation einschließlich einer Spiegelung sämtlicher Körperöffnungen, die sie über sich ergehen lassen musste, noch eine Durchleuchtung mit einem Röntgengerät. Das wiederum musste aus gesundheitlichen Gründen ohnehin auf spezifische Körperregionen beschränkt werden, denn auch Strafgefangene haben Rechte! So blieb die Zahnkrone mit einem hochwirksamen Nervengift diesen Leuten verborgen und Ljudmila musste nichts anderes tun, als auf einen günstigen Moment zu warten.

Dieser war gekommen, als an diesem Wochenende wegen Krankheit nur eine Rumpfmannschaft anwesend war. Das Nervengift in ihrem Backenzahn sorgte für einen auf wenige Minuten begrenzten Atemstillstand mit deutlich reduziertem Herzschlag. Da der so simulierte ›klinische Tod‹ so kurz war, war die größte Herausforderung für sie gewesen, den richtigen Zeitpunkt abzuwarten. Es musste ja jemand in der Nähe sein, der sofort einen Notarzt rufen konnte, denn die eigene Krankenstation war derzeit unterbesetzt.

Mit ihren speziellen Fähigkeiten und katzenhaften Reflexen war es kein Problem gewesen, den begleitenden Wachmann und den Notarzt auszuschalten, noch bevor dieser mit ihrer ›Reanimation‹ begonnen hatte. Nach einem Sprung aus dem fahrenden Fahrzeug atmete sie zum ersten Mal seit zwei Monaten wieder die Luft der Freiheit. Der Fahrer des Rettungswagens bemerkte ihre Abwesenheit und die bewusstlosen Männer erst am Ende der Fahrt.

Ljudmila Sokolowa sah auf die Uhr, die sie neben einer Pistole der Wache abgenommen hatte. Länger zu warten, ergab keinen Sinn. Entweder jetzt oder nie! Mit wenigen raumgreifenden Sprüngen hatte sie die Straße in Sekunden überquert und den niedrigen Gartenzaun überwunden. Wie sie ungesehen in das Gebäude gelangte, wusste sie vom letzten Mal.

* * *

*Zur selben Zeit, nicht weit entfernt*

»Hoffentlich kommen wir nicht zu spät!«, unkte Vanessa. »Den Anruf hättest du auch von unterwegs machen können, anstatt der Frau erst lang und breit zu erklären, was passiert ist. Wir haben damit nur Zeit verplempert!« Bis zur Römerstraße in Kaldauen waren es noch etwa fünf Minuten zu fahren. Das war eine lange Zeit, wenn es um Leben und Tod ging.

»Ich fand es besser so«, rechtfertigte sich Martin, der heute auch den Dienstwagen fuhr. »Frau Unger weiß jetzt Bescheid. Sie kann ihren Koffer packen und sich in ihrem Haus verbarrikadieren, bis wir bei ihr ankommen.«

»Das hat schon mal nicht funktioniert«, erinnerte sie ihn an die Festnahme vor zwei Monaten. Damals hatten sie erst erfahren, wo die gesuchte Mörderin sich aufhielt, als deren auserkorenes Opfer in heller Panik im Kommissariat anrief und einen Eindringling meldete. »Für ihren auf Dienstreise befindlichen Mann müssen wir uns sowieso noch was überlegen«, wechselte sie übergangslos das Thema. »Er kommt ja erst am Freitag zurück und müsste dann ebenfalls in Sicherheit gebracht werden, auch wenn er nicht das primäre Ziel ist. Irgendwie war das alles so bestimmt nicht geplant!«

Martins Mobiltelefon enthob ihn zunächst einer Antwort. Er aktivierte die Freisprecheinrichtung, als er die Nummer auf dem Display erkannte. »Was gibt's denn, Chef?«, erkundigte er sich. »Wir sind auf dem Weg zu den Ungers und gleich da!«

»Kleine Planänderung«, dröhnte Tobias' Stimme aus dem Lautsprecher. »Wir bekommen einen Helikopter samt Piloten! Ich bin auf dem Weg zu Jasmins Wohnung, damit sie ein paar Sachen einpacken kann. Anschließend stoßen wir sofort zu euch. Ich denke, das wird in etwa einer Stunde sein. Hinter dem Haus beginnt ein Wald. Über einen Stichweg der Römerstraße können wir direkt zu einem Gärtnereibetrieb fahren. Das sind hundert Meter. Auf der Freifläche, die zu diesem Betrieb gehört, wird der Hubschrauber landen. Die Eigentümer sind über den Polizeieinsatz informiert und einverstanden. Ihr fahrt aber erst hin, wenn der Helikopter schon im Landeanflug ist, es ist nämlich nicht auszuschließen, dass die Mörderin sich in der Nähe aufhält. Haltet daher eure Augen offen! Jasmin wird gemeinsam mit Wolfgang Müller, der auch als Pilot fungiert, den Eheleuten in dem *Safe House* für eine Weile Gesellschaft leisten. Ist das so weit verstanden?«

»Hubschrauber abwarten. Landeplatz in der Nähe im Wald. Geht klar, Chef«, echote Martin, denn ein einfaches ›verstanden‹ war keine Garantie, dass es sich tatsächlich so verhielt, weshalb im Funkverkehr immer die wesentlichen Inhalte wiederholt wurden. »Es gibt da nur ein klitzekleines Problem: Alexander

Unger ist bis Freitag auf Fortbildung in München und weiß noch nichts von seinem Glück. Seine Frau ist aber zu Hause.«

Tobias zerbiss einen Fluch zwischen den Zähnen. »Irgendwas ist ja immer«, seufzte er. »Doch es ändert trotzdem nichts an dem, was ich gerade sagte und für den Ehemann überlegen wir uns eben später was. Bis nachher dann!«

*　*　*

Das Haus war genauso menschenleer, wie es aus der Ferne ausgesehen hatte. Mit dem untrüglichen Instinkt einer erfahrenen Jägerin wusste Ljudmila, dass sich ihr Opfer nicht hier befand. Zuerst besorgte sie sich in der Küche ein Messer ähnlich dem, das sie bei ihren Exekutionen benutzt hatte, bevor sie dem Feind in die Hände fiel. Sie hatte zwar eine Waffe, aber Schusswaffen waren nicht so ihr Ding. Und die erbeutete Pistole hatte nur fünfzehn Patronen im Magazin, doch ein Messer konnte man immer wieder verwenden! Gleich nebenan befand sich das Bad, der Ort ihrer beschämenden Niederlage gegen die kleine, pummelige Kommissarin. Eine Meisterschützin, wie sie neidlos zuzugeben bereit war. Es war ebenso leer wie das Wohnzimmer.

Im Schlafzimmer oben im Dachgeschoss fand sie auf dem Bett einen leeren Koffer, daneben einige Kleidungsstücke. *Das Vögelchen hat wohl vor, davonzuflattern*, dachte sie grimmig. *Weit kann sie demnach nicht sein.* Kurz überlegte sie, ob sie es riskieren durfte, auf ihre Rückkehr zu warten, entschied sich dann aber anders. Viel zu groß wäre dabei die Gefahr, erneut in Gefangenschaft zu geraten und eine zweite Chance, zu entkommen, würde es nicht geben. Wenn die Frau von ihrer Flucht wusste, und danach sah es aus, dann hatte man sie gewarnt. Und das bedeutete in letzter Konsequenz, dass die Polizei hierher unterwegs war!

Sie entwarf in aller Eile einige Alternativpläne, die sie jedoch sofort wegen Undurchführbarkeit verwarf. Es musste einen anderen Weg geben. Sie sah sich im Zimmer aufmerksam um und hatte schließlich eine vage Idee. Doch bevor sie diesen Gedanken weiterverfolgen konnte, klingelte es unten an der Haustür. Die Jägerin erstarrte zu Stein.

\* \* \*

»Sie scheint nicht zu Hause zu sein, Martin«, hob Vanessa ratlos die Schultern. Sie betätigte erneut die Klingel. Wieder ohne jede Reaktion. Im Haus blieb es still, kein Laut war zu hören.

»Wo kann sie nur sein?«, wunderte sich Martin, als auch nach dem dritten Läuten niemand öffnete. »Ich hatte ihr am Telefon extra aufgetragen, das Haus bis zu unserer Ankunft nicht zu verlassen! Offenbar hat sie den Ernst der Lage nicht verstanden. Ich gehe mal hintenrum, vielleicht ist sie ja im Garten.«

\* \* \*

*Verdammt*, schoss es Ljudmila durch den Kopf, als sie die Stimmen vor der Haustür hörte. *Ich habe die Terrassentür offengelassen! Wenn dieser Bulle das sieht, weiß er sofort Bescheid und ich bin geliefert! Hier oben kann ich mich am Ende der schmalen Treppe zwar eine Weile gegen die beiden verteidigen, aber ich habe nur fünfzehn Schuss und die brauchen bloß Verstärkung zu rufen und können mich hier in aller Ruhe aushungern!*

Sie zwang sich, ruhig zu bleiben, atmete zweimal tief durch und sah sich nach einer Versteckmöglichkeit um, doch da waren nur ein Kleiderschrank, das Doppelbett und zwei Nachtkonsolen. Allesamt waren das keine sicheren Verstecke. Mit einem bedauernden Heben der Schultern zog sie die erbeutete Pistole und machte sich kampfbereit.

»Warte noch!«, hörte sie in diesem Augenblick die Kommissarin hinter ihrem Kollegen herrufen. »Ich bekomme gerade eine SMS herein. Sie ist drüben bei einer Nachbarin untergekommen!«

Ljudmila stieß pfeifend die Luft aus den Lungen. Das war knapp! Sie besaß zwar Nerven aus Stahl, aber hier hätte sie extrem schlechte Karten gehabt. *Das ist gerade noch mal gutgegangen! Jetzt aber nichts wie raus hier, doch diesmal schließe ich die Terrassentür hinter mir! Vielleicht kann ich später ja sehen, wohin man sie bringt und ihnen eventuell sogar folgen. Wozu habe ich denn dieses heiße Motorrad geklaut?*

# Kapitel 4

*Perfektes Timing*

»Warum haben Sie nicht in Ihrem Haus gewartet, wie ich es Ihnen gesagt hatte?«, fuhr Martin Weber seine Schutzbefohlene an, nachdem deren Nachbarin sie zu ihr ins Wohnzimmer geführt hatte. »Es ist für Sie in dieser Situation sehr gefährlich, auf die Straße zu gehen und wenn Sie sich nicht an unsere Anweisungen halten, können wir Sie nicht beschützen!«

»Da wäre ich auch nicht sicher, das haben wir ja beim letzten Mal gesehen!«, versetzte sie trotzig. »Ich hatte schon angefangen, einen Koffer zu packen, wie Sie es mir aufgetragen hatten. Aber dauernd glaubte ich, verdächtige Geräusche im Haus zu hören und bin dann geflüchtet. Hier bin ich wenigstens nicht ganz allein und es waren ja nur ein paar Schritte über die Straße. Ich habe auch aufgepasst, dass mir niemand gefolgt ist!«

Martin verzichtete darauf, der verängstigten Frau zu erklären, dass eine ausgefuchste Attentäterin wie Ljudmila Sokolowa selbst von speziell dafür ausgebildeten Polizisten nicht zu sehen war, wenn sie es nicht wollte. Das hätte sie bloß noch mehr geängstigt und Hysterie konnten sie während der Evakuierung nicht gebrauchen. Immerhin bestand die Gefahr, dass die Mörderin in der Nähe lauerte. Er ahnte nicht, wie nah er damit an der Wahrheit lag!

Außerdem war davon auszugehen, dass sie dieses Mal mit mehr als einem Messer bewaffnet war, denn auf Tobias' hartnäckige Nachfrage hatte man mittlerweile zugegeben, dass sie das Personal ihres Gefängnisses mit einer offenbar vorgetäuschten Herzattacke ausgetrickst und auf dem Weg ins Krankenhaus ihre beiden Begleiter mit bloßen Händen ausgeschaltet hatte. Und einem davon fehlte nach dem bösen Erwachen nicht nur eine Viertelstunde seiner Erinnerung, sondern auch seine Armbanduhr, die Brieftasche, das Handy und vor allem die Dienstwaffe!

Stattdessen instruierte der Hauptkommissar Petra Unger in aller Ruhe über das geplante Vorgehen. »Wir haben ab jetzt also noch eine Dreiviertelstunde Zeit, bis der Hubschrauber kommt«, schloss er. »Das reicht aus, Ihren Koffer zu packen und zum provisorischen Landeplatz zu fahren, der gleich um die Ecke ist. Es muss dann sehr schnell gehen, weshalb der Pilot den Rotor *nicht* abstellen wird. Es ist aber trotzdem völlig ungefährlich, einzusteigen. Trauen Sie sich das zu? Es ist extrem wichtig!«

»Ich ... Ich weiß es nicht«, stotterte sie mit panisch aufgerissenen Augen. »Ich hab sowas noch nie vorher gemacht. Im Fernsehen sieht das ja immer so einfach aus! Was ist denn mit meinem Mann? Ich konnte ihn telefonisch bisher nicht erreichen und er kommt erst am Freitag aus München zurück!«

»Um den werden wir uns später kümmern. Wahrscheinlich ist die entflohene Strafgefangene bis dahin sowieso längst wieder hinter Schloss und Riegel«, log Martin. »Gehen wir jetzt aber zurück zu Ihrem Haus, die Zeit wird langsam knapp!«

* * *

»Wir stehen am Hubschrauberlandeplatz. Uhren-
vergleich: Die Maschine wird ab jetzt in exakt zehn
Minuten landen. Ihr müsst genau in dem Moment zu
uns stoßen, wenn der Helikopter den Boden berührt!
Unser Pilot wird mit geöffneten Türen fliegen, damit
Jasmin und Frau Unger sofort einsteigen können. Ihr
habt dafür etwa dreißig Sekunden. Schafft ihr das?«
Die Stimme aus Martins Handy klang gelassen, wie er
und Vanessa es von ihrem Vorgesetzten nicht anders
gewohnt waren. Fast konnte man glauben, es handele
sich um eine Einladung zum Abendessen und nicht um
eine perfekt geplante Flucht.

»Wir werden pünktlich da sein, Chef!«, versprach
Martin Weber mit einem fragenden Blick zu Vanessa,
die stumm ihren Daumen hob. Petra Unger verstaute
nämlich soeben einige letzte Sachen in ihrem Koffer
und verschloss ihn sorgfältig. Bis zum Treffen waren es
jetzt genau neun Minuten. Zeit genug.

»Noch was: Ich bin mir sicher, dass niemand uns
gefolgt ist. Haltet also die Augen offen, ein Hinterhalt
ist das Letzte, was wir gebrauchen können!«

»Wird erledigt. Wir fahren dazu am besten etwas
früher los und kurven einmal um den Block. Weber
Ende!« Martin verstaute das Telefon umständlich in
der Hosentasche und sah die beiden Frauen auffordernd an. »Ihr habt es gehört. Es wird ernst, seid ihr
bereit?« Die Frage war natürlich vornehmlich an Frau
Unger gerichtet, die etwas bleich um die Nasenspitze
war. Doch indem er Vanessa mit einbezog, wirkte das
Ganze weniger dramatisch.

»Ist noch was?«, erkundigte sich Vanessa, weil die Frau sich hektisch in ihrem Schlafzimmer umsah, als suchte sie etwas Bestimmtes.

Petra Unger zuckte ratlos mit den Schultern. »Ich dachte, ich hätte vorhin mein Handy hier irgendwo liegen lassen, als ich zu meiner Nachbarin rüberging. Jetzt ist es weg!«

»Aber Sie hatten mir doch vorhin aus der anderen Wohnung eine Nachricht geschickt«, wunderte sich die Kommissarin. »Demnach müssen Sie es da noch gehabt haben! Könnten Sie das Telefon vielleicht bei Ihrer Nachbarin vergessen haben?«

»Nein, das ist es ja! Als ich Sie vor meiner Haustür stehen sah und eine SMS schicken wollte, damit Sie wissen, wo ich bin, habe ich erst gemerkt, dass es weg war! Aber ich hatte mir die Visitenkarte eingesteckt, die Sie mir damals gegeben hatten. So konnte ich das vom Handy meiner Freundin erledigen! Können Sie denn nicht meine Nummer anrufen? Bestimmt liegt es irgendwo im Haus herum! Ich muss doch meinem Mann Bescheid geben, wo ich bin!«

»Dafür ist keine Zeit mehr!«, stoppte Martin seine Kollegin mit erhobener Hand, als sie zu ihrem Handy greifen wollte, um diesem im Grunde verständlichen Wunsch nachzukommen. »Außerdem sind dort, wo wir Sie jetzt hinbringen, ohnehin keine Mobiltelefone erlaubt. Die Gefahr, dass es geortet wird, wäre viel zu groß!« Er warf einen Blick auf seine Armbanduhr, an der er beim Anruf seines Chefs einen Timer gesetzt hatte, der seitdem unerbittlich ablief. »Wir müssen sowieso los, wir haben weniger als sechs Minuten!«

Er reichte ihr eine überzählige Schutzweste, die sie extra zu diesem Zweck mitgebracht hatten. Er selbst und Vanessa trugen ihre bereits. »Hier, legen Sie die an, meine Kollegin wird Ihnen dabei behilflich sein!«

\* \* \*

Die Jägerin hatte das Haus noch vor der Rückkehr der beiden Polizisten verlassen können und ihr unter den Bäumen abgestelltes Fahrzeug tiefer in den Wald hineingeschoben. Gerade noch rechtzeitig, denn kurz darauf fuhr ein schwarzer Audi, wie ihn die Kriminalpolizei im Rhein-Sieg-Kreis verwendete, an ihrem Versteck vorbei. Und am Steuer saß der langhaarige Bulle, der sie bei ihrer Festnahme so lange bequatscht hatte, bis diese kleine Kommissarin, die jetzt auch bei ihm war, eine gute Schussposition hatte. *Verdammt!*

Da die Römerstraße in dieser Richtung nur zu dem Gewerbebetrieb im Wald führte oder eben zurück in die Stadt, war das Ziel dieser Leute im Grunde klar. Aber was wollten die Polizisten dort? Da ging es doch nirgends hin! Ihre Neugier war aber geweckt und nun lauerte sie an der Grenze zur zuvor wenig beachteten Freifläche im Dickicht und observierte diesen Wagen, der inmitten des gut und gerne einen Morgen großen Areals stand. Es stieg aber niemand aus. *Merkwürdig!*

Was tun? Wenn das nur ein Ablenkungsmanöver war, würde sie die Abfahrt der Zielperson verpassen, doch daran glaubte sie eigentlich nicht. Vielmehr sah alles nach einem Treffpunkt aus. Sollte hier in dieser Abgeschiedenheit etwa eine Übergabe vorgenommen werden, um etwaige Verfolger zu verwirren? War das denkbar? *Aber nein, dann säße man in der Falle, wenn der andere Wagen verfolgt würde und so viel Dummheit traue ich diesen Leuten nicht zu. Wieder merkwürdig!* Doch als sie einige Sekunden später in der Ferne ein stetig anschwellendes Geräusch vernahm, wusste sie Bescheid!

*Das nenne ich mal klassisch ausgetrickst,* dachte sie leidenschaftslos. *Wenn die aber glauben, dass sie mich damit lange aufhalten können, haben sie sich gründlich getäuscht! Ich habe ihnen gegenüber einen gravierenden Vorteil: Die können bloß vermuten, dass ich in der Nähe bin, wissen tun sie es nicht!* Sie stellte ihren fahrbaren Untersatz in Position, setzte sich darauf und wartete geduldig auf ihren Einsatz. *Showdown! Und mit etwas Glück erwische ich zwei Moskitos mit einer Klatsche, oder wie das Sprichwort heißt!*

\* \* \*

Der Helikopter tauchte über der Lichtung auf und senkte sich langsam, fast majestätisch dem Erdboden entgegen. Tobias sah eine offene Schiebetür für die hintere Sitzbank auf der linken Seite, womit das Ziel klar definiert war. Wenige Augenblicke später fegte Martins Wagen durch die schmale Zufahrt und hielt mit blockierenden Rädern bei seinem Fahrzeug an. Es war ein perfektes Timing, das von sämtlichen Beteiligten hier hingelegt wurde!

»Los, raus mit dir!«, rief er Jasmin zu, als die Kufen des Hubschraubers nur noch einen Meter über dem Boden schwebten. Die hielt bereits fest ihre handliche Reisetasche umschlungen und sprang sofort ohne zu zögern aus dem Fahrzeug. Zeitgleich wurde der Fond des anderen Autos aufgerissen und Vanessa zog eine widerstrebende Frau Unger heraus, die einen kleinen Koffer trug und von der Kommissarin fast mit Gewalt Richtung Hubschrauber gezerrt wurde, der in diesem Augenblick in zwanzig Metern Entfernung aufsetzte. Eine wahre Meisterleistung des Piloten!

Tobias atmete unwillkürlich auf. Was sollte denn jetzt noch schiefgehen? Während die drei Personen vornübergebeugt auf den Helikopter zuliefen, dessen Rotor sich nach wie vor drehte, um sofort abheben zu können, stieg er ebenfalls aus und behielt die Zufahrt im Auge. Martin tat auf seiner Seite dasselbe. Doch die tödliche Gefahr kam aus einer gänzlich unerwarteten Richtung!

Links tauchte zwischen den Bäumen ein Quad mit aufheulendem Motor auf und raste auf die Gruppe zu. Wer darauf saß, war durch den Sturzhelm nicht zu erkennen, doch Tobias war davon überzeugt, dass es sich um niemand anderen als Ljudmila Sokolowa handelte, denn in diesem Augenblick fiel der erste Schuss, der aber zum Glück nicht traf. Sofort gingen er und Martin hinter ihren Autos in Deckung, um den ungeschützten Kollegen Feuerschutz zu geben.

\* \* \*

Die Jägerin wartete ab, bis die Türen der beiden Autos aufgestoßen wurden und die drei Personen auf den gelandeten Hubschrauber zuliefen. Da der Pilot den Rotor nicht abgestellt hatte, ging sie davon aus, dass er sofort abheben würde, sobald er seine Fracht an Bord hatte. Sie musste also schnell und kompromisslos handeln! Ein kräftiger Tritt auf den Kickstarter, und der Motor erwachte aufheulend zum Leben. Sie fuhr im zweiten Gang an, da sie links die erbeutete Pistole hielt und dadurch die Kupplung nicht betätigen konnte. Die andere Hand musste am Gasdrehgriff bleiben, da die Maschine ohne Beschleunigung in diesem Gelände nicht beherrschbar war.

Bis zum Hubschrauber waren es gut fünfzig Meter, zu weit für einen sicheren Schuss. Dennoch feuerte sie, sobald sie zwischen den Bäumen herauskam und eine freie Sicht hatte. Es blieben ihr wahrscheinlich ohnehin nur Sekunden, dann war sie entweder tot oder auf der anderen Seite des Waldes in relativer Sicherheit.

Der erste Schuss ging einige Meter weit daneben. Das war im Grunde aber zu erwarten gewesen, da sie mit der linken Hand feuern und gleichzeitig auf die Maschine achten musste, die auf diesem Untergrund bockte und schlingerte. Außerdem konnte sie nur einhändig lenken und bekam zudem Gegenfeuer von zwei der Polizisten, die sich sofort hinter ihren Autos verschanzt hatten. Trotzdem raste sie mit schierer Todesverachtung weiter auf den Helikopter zu.

\* \* \*

Hinter ihnen warf Vanessa Fuchs den Koffer ihres Schützlings auf die Rücksitzbank des Helikopters und hievte seine Besitzerin zusammen mit Jasmin Brand hinein. Sehen konnten ihre Kollegen es nicht, da sie auf die heranrasende Attentäterin fixiert waren, die wild um sich ballerte, ohne allerdings bislang etwas getroffen zu haben. *Diese Frau ist total durchgeknallt*, schoss es Tobias durch den Kopf. *Das kann nicht gut enden! Wann hebt dieser Hubschrauber endlich ab?*

Kaum hatte er es gedacht, schlug eine Kugel in den Kotflügel seines Wagens ein, weniger als einen Meter von ihm entfernt! Nur einen Lidschlag später hörte er das charakteristische Sirren eines Querschlägers direkt in seinem Rücken. *Der Helikopter!* Die Angreiferin war jetzt auf weniger als zehn Meter heran und schoss ein weiteres Mal. Kein Treffer diesmal! Für ihn und Martin war es umgekehrt nicht leicht, das Quad zu treffen, da es ständig die Richtung wechselte.

Hinter ihm heulte der Motor des Helikopters auf, der mit maximaler Beschleunigung in den Himmel raste. Tobias gab schnell einen ungezielten Schuss ab und duckte sich wieder. Ljudmila Sokolowa stoppte ihr Quad, zielte jetzt mit beiden Händen und schoss ein letztes Mal auf den Helikopter. Es ertönte nur ein klickendes Geräusch!

*Sie hat eine Ladehemmung oder das Magazin ist leer*, stellte Tobias erleichtert fest, weil es ihm eine Atempause verschaffte. Er hätte ihr jetzt fast in die Augen sehen können, so nah war sie ihm gekommen, doch das Gesicht war hinter dem verspiegelten Visier nicht zu erkennen. Er atmete einmal tief durch und hob seinerseits die Waffe. Das war *die* Gelegenheit!

Ljudmila, wenn sie es denn tatsächlich war, warf ihm die nutzlose Pistole entgegen und gab Gas. Mit zornig aufheulendem Motor preschte sie davon, zwei sofort hinterhergeschickte Schüsse, einer von ihm und einer von Martin auf die Reifen gingen fehl. Zehn Sekunden später verschwand sie jenseits der Lichtung im Wald. Der Albtraum war vorläufig zu Ende, er hatte weniger als eine halbe Minute gedauert!

»Es ist vorbei, Chef!«, ertönte eine müde klingende Stimme hinter ihm. »Beide haben es wohlbehalten in die Maschine geschafft und sind in Sicherheit! Mit dem Quad kann sie ihnen nicht folgen, dazu ist es zu langsam.«

Er schob die Pistole ins Holster und warf Vanessa einen dankbaren Blick zu. Sie hatte sich gegen Ende der Schießerei hinter Martins Wagen verschanzt und ebenfalls aktiv an der Verteidigung mitgewirkt. »Ihr habt heute Großartiges geleistet!«, bescheinigte er ihr und dem soeben hinzugetretenen Kollegen. »Was ist mit dem Helikopter? Ich hörte vorhin einen Treffer!«

»Alles gut! Das war nur ein Querschläger an einer der Kufen«, beruhigte sie ihn und warf dem Waldrand einen sehnsüchtigen Blick zu. »Die kriegen wir nicht mehr«, stellte sie mit Bedauern in der Stimme fest. »Ich weiß nicht, wie es euch geht, aber *ich* habe jetzt dringend eine Pause nötig!«

»Die bekommst du, nachdem du eine Halterfeststellung für das Quad gemacht hast«, beschied Tobias ihr lächelnd und nannte ihr das Kennzeichen, das er für knapp zwei Sekunden hatte sehen können, bevor das Fahrzeug seinen Blicken entschwunden war. »Ich nehme zwar an, dass es geklaut und die Fahrerin uns sowieso bekannt ist, aber sicher ist sicher.«

*Wer weiß, wie die Aktion ohne den Helikopter ausgegangen wäre*, überlegte Tobias. Er musste die großzügige Hilfe, die Alexander von Kaltenbach speziell ihm hatte zukommen lassen, ohnehin umgehend seinem Vorgesetzten melden. Es war immer problematisch, wenn man sich als Polizeibeamter auf sowas einließ, denn man geriet unter Umständen schnell in eine

Abhängigkeit. Tobias glaubte jedoch, Alexander von Kaltenbach in dieser Hinsicht richtig einschätzen zu können, und traute ihm einen Hintergedanken nicht zu. Trotzdem hoffte er, es nicht irgendwann bereuen zu müssen. Aber was hätte er für eine Wahl gehabt?

# Kapitel 5

*Alles auf Anfang*

»Bevor wir zur Tagesordnung übergehen, möchte ich mich noch einmal in aller Form für euren heldenhaften und professionellen Einsatz bei der gestrigen Evakuierung bedanken!«, wandte sich Tobias Heller an Vanessa Fuchs und Martin Weber. »Ihr kennt alle Murphys Gesetz, dass es stets schlimmer kommt als erwartet und so war es natürlich auch dieses Mal. Ich muss aber zugeben, dass ich nicht mit *dieser* Variante gerechnet hatte. Dass die Aktion dennoch ohne Blutvergießen abgeschlossen werden konnte, ist vor allen Dingen eurem besonnenen Vorgehen zu verdanken. Selbstverständlich gilt das auch für Jasmin und den Piloten. Das war perfektes Teamwork, und das ganz ohne vorherige Übung!«

»Vor allem *seine* Arbeit war Spitzenklasse«, nickte Vanessa. »Und kaltblütig, wie er seine Maschine trotz des Beschusses so lange am Boden gehalten hat, wie es nötig war. Ich kenne Wolfgang ja noch aus der Zeit seines aktiven Dienstes, er kam mir eigentlich immer extrem behäbig vor. *Sowas* hätte ich ihm jedenfalls nicht zugetraut!«

»Das hätte wohl niemand und ich kenne ihn schon etwas länger«, lächelte Tobias. »Wie es scheint, hat er seine Bestimmung gefunden. Ich sah zwar nicht viel davon, aber es muss toll gewesen sein! Ich soll euch übrigens herzlich von Jasmin grüßen, sie sind wohlbehalten an ihrem Ziel angekommen. Wo das genau ist, weiß außer mir und dem LKA nur Wolfgang, und das wird auch so bleiben. Auch der Kontakt wird auf das absolut Nötigste beschränkt sein. Handys funktionieren aufgrund eines Dämpfers in dem Haus nicht, Internet ist nicht verfügbar und das Festnetztelefon soll nur im äußersten Notfall benutzt werden. Wollen wir hoffen, dass der niemals eintritt!«

»Ljudmila, sofern sie es denn war, ist uns ja leider entkommen«, hob Vanessa die Schultern. »Ich kann es immer noch nicht fassen, dass niemand von uns sie getroffen hat, als sie wild um sich schießend auf einem Quad daherkam. Es war übrigens tatsächlich geklaut, wie wir es vermutet hatten!«

»Es wurde vor einer halben Stunde ein paar Kilometer von dort entfernt verlassen aufgefunden«, gab Tobias die eben erst erworbene Kenntnis zum Besten. »Was die Aktion im Wald angeht, haben wir uns aber nichts vorzuwerfen, denke ich. Wir waren einfach zu wenig Leute, wir hätten ein SEK gebraucht!«

»Obwohl sie uns ziemlich nah auf die Pelle gerückt ist«, bekräftigte Martin. »Doch unsere Möglichkeiten der Abwehr waren naturgemäß sehr eingeschränkt, da wir durch ihre Herumballerei ständig in Deckung bleiben mussten. Außerdem hat sie dauernd Haken geschlagen wie ein Karnickel. Ich will zugeben, dass sie ihre Maschine perfekt beherrscht hat, und das mit nur einer Hand!«

»Wem sagst du das?«, seufzte Tobias. »Wisst ihr, womit ich den Rest des Tages verbracht habe? Nein? Ich will es euch gerne verraten: Mit dem Ausfüllen einer detaillierten Schadensmeldung zum Einschuss-loch in meinem Dienstwagen! Außerdem musste ich einen ausführlichen Bericht zum dreifachen Schuss-waffengebrauch verfassen und auch den Verlust von insgesamt zwölf Patronen Munition erklären. Unsere Pistolen und der Einsatzort werden derzeit ohnehin genauestens untersucht, wie ihr ja wisst!«

»Hatte sie bei ihrer Flucht nicht einem Wachmann das Handy geklaut?«, mischte sich Erik jetzt ein. »Es muss einen Grund für den Diebstahl geben, also hat sie bestimmt vor, es auch zu benutzen. Hat man es schon zu orten versucht?«

Tobias lachte lauthals auf. »Ja, hat man«, äußerte er sich dazu und erläuterte ihm und den Kollegen den Grund für die Erheiterung. »Beamte des LKA fanden es in einem Reisebus, der nach Frankreich unterwegs war! Wir dürfen diese Frau keinesfalls unterschätzen. Menschen mit dissoziativer Identitätsstörung gelten zwar als geistesgestört, sind aber nicht geistig behin-dert! Sie sind meist hochbegabt und durch ihre zwei oder mehr unabhängig funktionierenden Persönlich-keiten nicht selten im Vorteil! Ljudmila hatte nie vor, mit dem gestohlenen Handy zu telefonieren, sondern benutzte es im Gegenteil, um die Polizei an der Nase herumzuführen. Sie konnte nicht wissen, dass sie es ausgerechnet mit *uns* zu tun bekommen würde!«

Zum Zeichen, dass dieses Thema für ihn vorerst abgeschlossen war, ließ Tobias die Bildschirme vor den Sitzplätzen seiner verbliebenen Ermittler aus der Tischplatte fahren. »Für die Ergreifung der Flüchtigen ist jetzt das LKA zuständig, wir hingegen haben Drin-genderes zu erledigen«, erinnerte er sie daran, dass in den nächsten Tagen eine Menge Arbeit auf sie wartete. »Vergesst nicht, dass wir für unbestimmte Zeit auf Jasmin verzichten müssen, und Erik wird in einer Woche seinen Jahresurlaub antreten. Dann sind wir nur noch zu viert.« *Hoffen wir, dass Ljudmila bis dahin gefasst ist*, fügte er in Gedanken hinzu. Große Hoffnung hegte er diesbezüglich jedoch nicht, dazu war diese Frau viel zu ausgefuchst. Zudem war davon auszugehen, dass sie nicht zum letzten Mal mit ihr zu tun bekommen hatten. Doch das sagte er nicht, seine Leute wussten es ohnehin oder ahnten es zumindest. *Wir hatten sowieso unverschämtes Glück, dass sie mit ihrem Quad offenbar besser umgehen konnte als mit der Pistole!*

»Ihr habt hoffentlich nicht völlig vergessen, dass wir einen Fall auf dem Tisch haben! Es ist zwar kaum zu fassen, aber wir haben tatsächlich nur einen Tag verloren«, kam er ohne weitere Umschweife direkt zum Thema. Es war schon genügend Zeit vertrödelt worden, doch die Würdigung der Ereignisse war aus psychologischen Gründen notwendig gewesen. Auch ein an der Schusswaffe ausgebildeter Polizist steckt einen Schusswechsel dieser Art nicht weg und geht dann zur Tagesordnung über. »Erik und Jonas haben ja gestern ganz allein die Stellung gehalten. Wenn ich mich recht erinnere, solltest ihr euch im Umfeld des Friedhofs umschauen. Habt ihr da schon was herausfinden können?«, wandte er sich direkt an die beiden.

»Falls du darauf hoffst, dass wir dir den Namen des Toten sagen können, muss ich dich enttäuschen«, ergriff Jonas Faber das Wort. »Wir hatten ja kein Foto dabei und mussten daher bei den Befragungen blind im Nebel herumstochern.« Weil die Leiche unter etlichen Schaufeln Erde begraben war, als man sie fand, und für die Untersuchung durch die Pathologin nur notdürftig gereinigt worden war, gab es kein vorzeigbares Gesichtsbild des Toten und durch die Eigendynamik der gestrigen Ereignisse war Tobias auch nicht dazu gekommen, eines anfertigen zu lassen.

»Das Bild ist in Arbeit«, beruhigte er seinen Oberkommissar. »Unsere Polizeizeichnerin Alexa wird mit ihrem ›Zauberkasten‹ bis spätestens heute Mittag ein vorzeigbares Porträt herstellen. Ihr seid dann bei der nächsten Befragung bestens gerüstet!«

»Was wir aber haben, ist eine ungefähre Tatzeit«, fuhr Jonas ungerührt fort. »Ich meine natürlich die Uhrzeit, wo die Leiche in die Grube geworfen wurde, nicht die für den Mord«, berichtigte er sich sofort, als er die freudige Erwartung auf den Gesichtern seiner Zuhörer sah. Diese verwandelte sich jetzt umgehend in Enttäuschung. Eine derart unpräzise Aussage war man von dem als extrem penibel bekannten Mann eigentlich nicht gewohnt.

»Um es genau zu sagen, ist diese Zeit auch nicht hundertprozentig verifiziert«, eierte er weiter herum, womit er die Geduld seiner Kollegen erneut auf eine harte Probe stellte. »Wir trafen am späteren Nachmittag einen Kerl, der auf dem Weg zu seiner Stammkneipe war, die hundert Meter die Straße herunter angesiedelt ist. Er meinte, in der Nacht zum Samstag auf dem Friedhof eine dunkle Gestalt an dem frisch ausgehobenen Grab gesehen zu haben, die mit einer Schaufel hantierte. Er ist Stammgast in dieser Kneipe und kommt auf dem Heimweg immer dort vorbei. Allerdings war er zu diesem Zeitpunkt ziemlich alkoholisiert und konnte uns nicht einmal ansatzweise eine Urzeit sagen.«

»Wir haben aber trotzdem eine, Chef!«, ging Erik schnell dazwischen, als er sah, dass Tobias die Augen verdrehte. Was war nur mit dem ansonsten überkorrekten Kollegen los? *Vielleicht hatte ihm gestern sein* ›*Sparringspartner*‹ *gefehlt*, mutmaßte der SOKO-Chef. Jonas und Martin lagen sich zwar andauernd in den Haaren, aber keiner konnte ohne den anderen. »Wir sind dann nämlich zu der Gaststätte und haben die Wirtin dazu befragt«, fuhr der Kommissaranwärter fort, wobei er sich einen finsteren Blick des Kollegen einfing. »Die konnte uns ziemlich genau sagen, wann der Mann das Lokal an diesem Abend verlassen hatte. Das war so gegen 01:30 Uhr in der Nacht, meinte sie. Und weil die Straße nicht sehr breit ist, kann der Gast selbst bei ausgeprägten Schlangenlinien kaum mehr als zehn Minuten bis zum Friedhof gebraucht haben.«

»Okay, das ist eine genügend klare Ansage«, nickte Tobias zufrieden. »Frau de Luca setzte den Todeszeitpunkt recht grob auf eine Zeit zwischen Mitternacht und 04:00 Uhr fest. Auch wenn der Zeuge nicht mehr nüchtern war, entspricht doch die Beschreibung der Beobachtung den erwarteten Parametern und dürfte somit glaubhaft sein. Geben wir aber großzügig noch eine Viertelstunde hinzu, dann läge gemäß der ersten Einschätzung der Rechtsmedizin der Todeszeitpunkt irgendwo zwischen Mitternacht und 02:00 Uhr, es sei denn, bei der Leichenschau käme eine kleinere Zeitspanne heraus. Damit können wir aber auf jeden Fall arbeiten!«

Er rief die Wissensdatenbank auf, in der sämtliche Ermittlungsergebnisse und Denkansätze gespeichert wurden, weshalb er das von ihm erfundene System auch ›Denkbrett‹ nannte. »Wie ich sehe, habt ihr das noch nicht eingegeben«, wandte er sich an Jonas. »Bis zum Mittag ist das erledigt, und anschließend wirst du mit Martin in die Rechtsmedizin fahren, wo für 14:00 Uhr die Autopsie an Antonius Eschbach angesetzt ist. Die Angehörigen haben diesbezüglich Druck ausgeübt, und deshalb wird der unbekannte Tote, der für unsere Ermittlungen eigentlich viel wichtiger ist, später obduziert. Die Befragung im Umfeld des Friedhofs wird fortgesetzt, und zwar diesmal von Vanessa und Erik. Kümmert euch vornehmlich um die Familienangehörigen und sonstige Bekannte des Antonius Eschbach. Mit dem Porträt, das bis dahin fertig sein dürfte, könnt ihr gezielt danach fragen, ob den Mann jemand aus diesem Dunstkreis kennt!«

\* \* \*

*Zur selben Zeit, an einem fernen Ort*

»Ich hoffe, Sie haben den gestrigen Tag einigermaßen verarbeiten können«, wandte sich Wolfgang Müller an Petra Unger. Er stellte ihr eine Kaffeetasse hin. »Mit einer Mütze Schlaf und einem ausgiebigen Frühstück sieht die Welt gleich freundlicher aus.«

Sie hatten ihr Ziel nach einer Flugstunde erreicht und sich im Anschluss an die Inspektion ihrer Unterkunft auf die Zimmer zurückgezogen. Den Helikopter hatte Müller hinter dem Haus geparkt, wo er von der Straße aus nicht zu sehen war. Dazu hätte man um das Gebäude herumgehen müssen, was jedoch durch einen hohen Zaun erschwert wurde. Überhaupt war das Haus malerisch am Waldrand fernab jeglicher Wohnbebauung gelegen. Die fünfzig Meter durchmessende und innerhalb der Umzäunung befindliche Waldlichtung bot genügend Platz für das kompakte Fluggerät. Fast könnte man glauben, sie sei eigens zu diesem Zweck gerodet worden.

Wolfgang stellte Jasmin ebenfalls einen gefüllten Kaffeebecher hin und setzte sich dazu. Auf dem Tisch war ein reichhaltiges Frühstück aus den unerschöpflichen Vorräten ihrer Speisekammer angerichtet, für den leidenschaftlichen Hobbykoch eine seiner leichteren Übungen. »Wie sieht es bei dir aus?«, wandte er sich an die Kommissarin. »Alles in Ordnung?«

Wie sich herausgestellt hatte, war Jasmins Schutzweste von dem Querschläger getroffen worden, der nach dem Abprall von der stählernen Kufe irgendwie seinen Weg in ihren Rücken gefunden haben musste. Gespürt hatte sie nichts davon. Einen Ruck vielleicht, dem sie jedoch keine Bedeutung beigemessen hatte.

»Alles gut«, sagte sie leichthin. »Das Geschoss hat mich wohl nur gestreift. Wenn nicht der feine Riss in der obersten Lage der Weste wäre, wüssten wir es gar nicht.« Sie gab ihm mit einem vielsagenden Blick zu verstehen, das Thema nicht zu vertiefen, denn Petra Unger saß bleich wie eine Wand am Tisch und rührte seit einer geschlagenen Minute in ihrem Kaffee.

»Wie lange müssen wir jetzt hierbleiben?«, fragte sie, ohne den Kopf zu heben. »Ich weiß nicht, ob ich das durchstehe! Und was ist nun mit meinem Mann? Er hat keine Ahnung, was geschehen ist!«

»Mein Vorgesetzter wird alles daransetzen, ihn zu informieren«, beruhigte Jasmin sie. »Ich habe gestern direkt nach unserer Ankunft mit ihm telefoniert, er hat Ihren Mann bisher zwar nicht erreichen können, wird es jedoch weiter versuchen. Sollte die Gefahr bis zu seiner Rückkehr aus München nicht beseitigt sein, wird man sich um ihn kümmern. Machen Sie sich keine Sorgen, es wird alles gut!«

»Außerdem hat diese Frau Ihren Abflug miterlebt und wird sich daher in Zukunft von Ihrem Haus fernhalten, zumal bundesweit nach ihr gefahndet wird«, fügte Wolfgang Müller hinzu. »Die Frage, wie lange es dauert, kann jedoch niemand beantworten. Ein paar Tage auf jeden Fall!«

»Und damit kommen wir jetzt zu den Verhaltensregeln, die für die gesamte Dauer unserer Anwesenheit gelten und die jederzeit zu beachten sind!«, übernahm Jasmin Brandt. »Herr Müller ist zwar nicht mehr bei der Polizei, ich bin aber mit ihm übereingekommen, dass wir uns die Leitung teilen. Er bringt viele Jahre an Erfahrung mit. Anordnungen von uns dienen Ihrer Sicherheit und sind widerspruchslos zu befolgen!«

»Dazu gehört in erster Linie, dass niemand ohne Begleitung dieses Haus verlässt, und schon gar nicht, ohne Bescheid zu sagen«, nickte der ehemalige Oberkommissar. »Wie Sie ja schon beim Betreten gesehen haben, gibt es für die Eingangstür keinen Schlüssel, sondern ein modernes Codeschloss, dessen Kombination nur wir kennen. Sie ist mit Panzerstahl verstärkt und das ganze Haus ist alarmgesichert. Mit den üblichen Einbruchswerkzeugen ist da nichts zu machen. Dazu gibt es mehrere infrarotempfindliche Außenkameras, die eine Rundumsicht erlauben. Bewegungs-melder auf dem gesamten Grundstück lösen sofort einen Alarm aus, sobald sich jemand dem Haus auf zwanzig Meter nähert. Ein spezielles Dämpfungsfeld verhindert wirksam den Handyempfang, sodass eine Ortung unmöglich sein dürfte. Der Waffenschrank, dessen Kombination ebenfalls nur Frau Brandt und ich kennen, ist mit mehreren Pistolen und Gewehren und einigen tausend Schuss Munition bestückt. Die Vorräte halten mindestens ein Jahr. Wir würden also selbst eine längere Belagerung überstehen, zumal wir im Notfall jederzeit Hilfe anfordern können!«

»Sie sehen, der Name *Safe House* kommt nicht von ungefähr«, fügte Jasmin hinzu. »Allerdings weiß nur mein Kollege allein, wo genau wir uns befinden. Die Flugdauer ist kein Maßstab für die Entfernung, da er einen Umweg und mehrere Schleifen geflogen ist, um etwaige Verfolger am Boden abzuschütteln. Übrigens gibt es hier nicht nur Waffen und Nahrung, sondern auch genügend Möglichkeiten der Zerstreuung, so habe ich beispielsweise einen gut bestückten Bücherschrank im Wohnzimmer gesehen. Wir beide«, zeigte sie auf Müller, »werden viel Zeit damit verbringen, die Kamerabilder zu sichten. Sie sollten sich derweil etwas mit sich selbst beschäftigen.«

»Ich weiß ja nicht, warum Regina mich unbedingt töten will«, jammerte Petra Unger. Sie ließ mit keiner Miene erkennen, ob sie die umfangreichen Erläuterungen und Verhaltensregeln gehört und verstanden hatte. »Sie ist doch schließlich meine Cousine und als Kinder waren wir nahezu unzertrennlich!«

»Das weiß sie in ihrem jetzigen Zustand vermutlich nicht«, sagte Jasmin leise und ergriff mitfühlend ihre Hand. »Sie ist geistig verwirrt und hält sich nach Ansicht der Ärzte für eine andere. Daher auch der Name Ljudmila. Man wird ihr helfen können, sobald sie in sicherem Gewahrsam ist. Haben Sie Geduld, sie ist bestimmt bald gefasst! So, und jetzt wird endlich gefrühstückt, ich habe einen Bärenhunger!«

\* \* \*

Die Frau, deren Name in diesen Stunden an zwei weit voneinander entfernten Orten lebhaft diskutiert wurde, und die sich selbst als ›Jägerin‹ bezeichnete, hatte sich mit einfachen Accessoires leicht verändert. Dazu gehörten neben einigen Kleidungsstücken aus einem Second-Hand-Shop auch eine Brille und eine schwarze Perücke. Die Sachen hatte sie von dem Geld gekauft, das der von ihr überwältigte Wachmann bei sich gehabt hatte. Leider gingen ihre diesbezüglichen Vorräte langsam zu Ende.

Für ein paar Nächte in einer billigen Absteige in einem Weiler der Stadt Lohmar reichte es aber gerade noch, und sie hatte jetzt ohnehin vorübergehend die Spur zu ihrem Opfer verloren. Bis sie diese wiedergefunden hatte, musste sie sich sowieso bedeckt halten, da mit Sicherheit überall nach ihr gefahndet wurde. Und daran, dass sie schon bald den aktuellen Aufenthaltsort ihres Opfers herausgefunden haben würde, bestand für sie überhaupt kein Zweifel. Das war nur eine Frage von wenigen Tagen, allerdings musste sie sich zunächst ein Handy ›besorgen‹ oder zumindest ein Tablet. Bis dahin hieß es, stillzuhalten.

Den Hubschrauber zu verfolgen, war ihr nicht mal für eine Sekunde in den Sinn gekommen. Einerseits würde der Pilot, sofern er sein Handwerk einigermaßen verstand, garantiert nicht den direkten Weg nehmen, sondern im Gegenteil Gebiete überfliegen, wo man ihm am Boden nicht so leicht folgen konnte. Auch die Richtung, in die er davongeflogen war, gab daher keinen Aufschluss über sein Ziel. Andererseits kam das gestohlene Quad auf maximal 98 km/h, der Hubschrauber aber brachte es locker auf die doppelte Geschwindigkeit.

Einzig die fehlende Aufschrift, dass es sich um einen Polizeihelikopter handelte, hatte sie im Nachhinein etwas verwirrt. Für alle Fälle hatte sie sich die Kennung gemerkt, sollte sie es wieder damit zu tun bekommen. In dem Piloten glaubte sie jedenfalls, den großen Kerl wiedererkannt zu haben, den sie damals im Trauzimmer niedergeschlagen hatte. Hatte er das also überlebt. Ganz sicher war sie sich jedoch wegen seines Funkhelms nicht, und sie hatte Wichtigeres zu tun gehabt. Das Zeitfenster für ihre Kamikaze-Aktion war ohnehin extrem klein gewesen.

Nach ihrem leider missglückten Attentat und der anschließenden Flucht durch den Wald hatte sie das verräterische Fahrzeug, das spätestens jetzt garantiert ebenfalls gesucht wurde, an einer abgelegenen Stelle am Rand eines Nachbarortes stehen lassen und war dann per Anhalter hierhergefahren, nachdem sie sich mit den zur Verkleidung nötigen Teilen eingedeckt hatte. Die hervorstechendste Eigenschaft eines guten Jägers war Geduld, und davon hatte sie reichlich.

Sie wusste zudem, dass es zwischen ihrer Flucht und dem Untertauchen ihres Opfers einen direkten Zusammenhang gab. Und solange sie auf freiem Fuß war, würde es auch nicht aus dem Mauseloch hervorkommen, in das es sich verkrochen hatte. Das Opfer würde sich zu gegebener Zeit von alleine melden, sie hatte im Grunde nichts weiter zu tun, als abzuwarten und sich einen neuen, möglichst komfortablen fahrbaren Untersatz zu besorgen.

# Kapitel 6

*Erste Erkenntnisse*

»Ich finde es eine total fürchterliche Vorstellung, wenn sowas passiert«, äußerste sich Erik vom Beifahrersitz. Normalerweise galt im Außendienst zwar die ungeschriebene Regel, dass derjenige mit dem niedrigeren Dienstgrad oder der Jüngere den Dienstwagen fährt, doch da er sich als Kommissaranwärter streng genommen in der Ausbildung befand, hatte Vanessa das heute freiwillig übernommen. Oft hatte sie ihn ja ohnehin nicht als Ermittlungspartner, da sie vorwiegend mit Jasmin zusammen ermittelte.

»Was meinst du damit?«, fragte sie geistesabwesend nach, da sie mit ihren Gedanken bei der abwesenden Freundin war. Hoffentlich ging alles gut! Es war zwar nicht davon auszugehen, dass die Mörderin den Standort des ›Sicheren Hauses‹ herausbekam, da diese Einrichtungen geheim waren, jedoch konnte es unter Umständen mehrere Wochen dauern, bis man sie fasste und in der Zwischenzeit konnte eine Menge passieren!

Andererseits hatte ihr Interimspartner Wolfgang Müller bei der gestrigen Aktion allen bewiesen, dass er mit Stresssituationen gut zurechtkam. Und Jasmin konnte mit ihrer Pistole umgehen wie keine andere, Chrissie Ohlsen vielleicht ausgenommen. Was sollte da also noch großartig schiefgehen?

»Na, das mit der Bestattung!«, präzisierte Erik. »So etwas ist doch immer eine ernste Angelegenheit, und dann geschieht ein solches Unglück! Ich weiß nicht, wie mir dabei zumute wäre, wenn ich einen geliebten Menschen zu Grabe tragen müsste, und am Ende die Beerdigung gar nicht stattfindet!«

»Also, so sehr beliebt war dieser Bauunternehmer überhaupt nicht, sofern man der örtlichen Regenbogenpresse Glauben schenken darf«, hob Vanessa die Schultern. »Dass so viele Leute mit auf dem Friedhof waren, hat dabei nichts zu bedeuten, das waren zum größten Teil nur Schaulustige. Ich hoffe nur, der Chef hat mit seiner Einschätzung unrecht, dass Eschbach ebenfalls ermordet worden sein könnte. Wir müssten nämlich sonst an die fünfzig Motive und Alibis überprüfen! Es reicht ja schon, wenn wir alle Angehörigen nach einem Zusammenhang mit der anderen Leiche befragen müssen. Das sind nicht gerade wenige!«

»Ich frage mich, wie Chrissie damit umgeht, dass ihr Mann jetzt so lange von ihr getrennt ist«, wechselte Erik sprunghaft das Thema. Bist zu ihrer ersten Anlaufstelle, dem ältesten Sohn und dem Vernehmen nach auch Haupterbe, hatten sie noch ungefähr zehn Minuten zu fahren.

»Das weiß niemand außer ihr selbst. Sie ist zweifellos eine taffe Frau und immerhin auch Polizistin. Sie weiß demnach, was es heißt, mit einem Mann mit seinem Beruf verheiratet zu sein. Und umgekehrt ist es genauso. Du wirst das bestimmt noch erfahren. Da geht die Angst, dass dem Partner etwas Schlimmes passieren könnte, ständig mit! Denk nur an gestern! Ohne es auch nur im Entferntesten vorausgeahnt zu

haben, waren wir im Handumdrehen in eine Schießerei verwickelt! Aber natürlich zeigt man das nicht, sondern gibt sich nach außen unbeschwert. Und am
Abend ist man einfach nur froh, dass alles gut ausgegangen ist.« Danach breitete sich Stille aus.

»Glaubst du, dass diese Ljudmila jetzt aufgibt, weil
sie nicht weiß, wohin ihr Opfer verschwunden ist?«,
fragte Erik nach einer kleinen Weile. »So, wie ich sie
einschätze, wird sie das nämlich nicht tun, immerhin
hat sie Jahre damit verbracht, ihren Rachefeldzug zu
planen. Und ausgerechnet in dieser Situation fehlen
euch zwei Leute!«

»Weil Jaomin jetzt ausfällt und du nächste Woche
deinen Urlaub antrittst? Mach dir darüber mal keine
Sorgen. Für die Ergreifung von flüchtigen Straftätern
sind wir nicht zuständig und dieser Fall ist entweder
völlig unlösbar oder aber im Handumdrehen aufge-
klärt. Was fängst du eigentlich mit den zwei Wochen
Urlaub an? Fährst du irgendwohin?«

»Dafür habe ich kein Geld, und außerdem ist das
sowieso schwierig. Man kann ja nur zwischen überfüllten Zügen und total chaotischen Zuständen am Airport
wählen. Und wenn man Pech hat, fällt der Flug ganz
aus! Ich werde für die Prüfung büffeln, die nach den
Semesterferien ansteht, damit werde ich genug zu tun
haben. Die verlangen eine ganze Menge von uns, das
hätte ich nicht gedacht!«

»Ja, ich glaube, ich erinnere mich dunkel daran«,
grinste Vanessa, während sie ihren Dienstwagen in
eine Parklücke bugsierte. Sie hatten ihr Ziel erreicht.

\* \* \*

Die junge Frau betrat forsch sein Büro, ohne anzuklopfen. Mit ihrer Last, die sie trug, wäre ihr das auch nicht leichtgefallen. »Chrissie, was für eine Überraschung!«, rief Tobias aus und eilte sofort diensteifrig herbei, um ihr einen Stuhl zurechtzurücken. Mit dem Baby, das in einem Tragegestell vor ihrer Brust hing, war ihr das nicht ohne weiteres möglich. »Führt dich etwas Bestimmtes hierher, oder wird das ein Höflichkeitsbesuch?«, fragte er seine Besucherin, nachdem sie umständlich ihren Platz eingenommen hatte.

»Uff!«, stöhnte Christina Ohlsen stattdessen, und hievte Baby Marvin aus dem Gestell, um ihn sich auf den Schoß zu setzen. Der Kleine war jetzt vier Monate alt und konnte selbstverständlich noch nicht alleine sitzen. Aber das Köpfchen musste man ihm seit einer Woche nicht mehr stützen, und so war es für seine Mutter etwas bequemer. Natürlich hielt sie ihn fest.

Sofort begann er, nach sämtlichen Gegenständen in seiner Reichweite zu grabschen, und Chrissie hatte alle Hände voll zu tun, ihm solche ›Mordwerkzeuge‹ wie Bleistifte, Kugelschreiber und Büroklammern auf der Stelle abzunehmen. Sicherheitshalber rückte sie ihren Stuhl ein wenig vom Schreibtisch ab, was bei Marvin unverzüglich für einen lautstarken Protest in Babysprache sorgte.

»Dein Sohn ist ganz schön gewachsen, seit ich ihn das letzte Mal gesehen habe«, lächelte Tobias, wobei er auf die lautmalerische ›Äußerung‹ Chrissies Bezug nahm, als sie das Baby vorhin absetzte. »Ein richtiger Brocken ist das geworden, wenn ich das mal so sagen darf!«

»Tja, man kann ihm beim Wachsen zuschauen! Ich fürchte, da kommt er ganz nach seinem Vater. Übrigens: Hast du etwas von Wolfgang gehört?«, fügte sie mit fragend hochgezogenen Augenbrauen hinzu. Es sollte beiläufig klingen, doch Tobias entging das fast unhörbare Zittern in ihrer Stimme trotzdem nicht. Es war keine Frage, wie der Hase hier lief und der ›Überfall‹ war alles andere als ein Höflichkeitsbesuch!

Er beugte sich leicht nach vorne und sah ihr ernst in die Augen. »Chrissie, dein Mann ist erst eine Nacht fort! Du weißt, wie sowas abläuft: Funkstille ist dabei das oberste Gebot! Die drei sind gestern Nachmittag unversehrt, und offenbar auch, ohne verfolgt worden zu sein, am Ziel angekommen. Das ist alles, was ich weiß. Weitere Meldungen gibt es nicht und in diesem Fall sind keine Nachrichten nur positiv zu werten. Du warst zudem mit seiner Teilnahme einverstanden!«

»Es wäre mir wohler, wenn ich auf ihn aufpassen könnte!«, brach es aus ihr heraus. Seit dem brutalen Überfall auf Wolfgang nach der Trauung vor einem knappen Vierteljahr war sie etwas dünnhäutig, was man aber auch verstehen konnte!

»Klar! Ich stelle mir das richtig toll vor«, grinste Tobias. »In einer Hand das Baby und in der anderen die Pistole, mit der du eine ganze Horde von Banditen abwehrst, während du gleichzeitig einen dreifachen Salto schlägst! Chrissie, dein Mann kann gut auf sich aufpassen und mit Jasmin hat er eine engagierte Polizistin an der Seite! Sie erinnert mich manchmal sogar ein wenig an dich. Vor allem, wenn sie ihr vorlautes Mundwerk nicht halten kann. Und das Wichtigste ist: In dem Haus gibt es vermutlich nicht einen einzigen

Blumentopf, da es die meiste Zeit leersteht und sich daher niemand um die Pflanzen kümmern kann!«

»Ha, ha!«, machte sie mit einem schiefen Grinsen wegen der Anspielung auf den Ablauf des damaligen brutalen Überfalls auf ihren Ehemann. Regina Berger, oder Ljudmila Sokolowa, wie sie sich jetzt nannte, hatte Wolfgang einen massiven Blumentopf über den Kopf gezogen. Er konnte heilfroh sein, diese Attacke überlebt zu haben. »Wieso bist du eigentlich alleine hier?«, wechselte sie jetzt schnell das heikle Thema, um ihrer Anwesenheit trotz allem den Anstrich eines Höflichkeitsbesuchs zu geben. »Dass Jasmin nicht da ist, ist ja klar. Aber wo sind die anderen?«

Tobias ließ einen tiefen Seufzer hören. »Wir haben immer noch einen Mordfall auf dem Tisch. Durch die gestrige Evakuierung haben wir nicht viel ausrichten können, aber jetzt sind meine Leute unterwegs, das Versäumte nachzuholen. Du weißt schon, der ganze Kleinkram wie Zeugenbefragungen, an den Leichen- schauen teilnehmen und so weiter, während ich den Schreibkram erledige. Viel verspreche ich mir aber diesmal nicht davon, denn es gibt bisher nicht den kleinsten Anhaltspunkt. Ich erhoffe mir zwar etwas von der Autopsie, doch wenn es schlecht läuft, ist das der erste Fall, den meine neue Einheit nicht aufklären können wird!«

»Ich habe keinen Zweifel daran, dass es euch auch dieses Mal gelingen wird«, nickte sie zum Abschluss, nahm das Baby auf den Arm, das sofort begann, ihre Frisur zu zerzausen, und erhob sich von ihrem Stuhl. Für Tobias war das ein weiteres Zeichen, dass sie im Grunde nur gekommen war, um von ihm eventuell etwas über ihren Mann zu erfahren. Sie hatte zu ihm infolge der eingeschränkten Möglichkeiten ebenfalls keinen Kontakt und machte sich selbstverständlich Sorgen. Natürlich war sie zu stolz, es zuzugeben. Wie sollte das werden, wenn aus Tagen vielleicht Wochen würden?

»Ich halte dich auf dem Laufenden«, versprach er ihr daher, als er ihr zum Abschied die Hand reichte. »Sobald wir etwas wissen, wirst du die Erste sein, die es erfährt!« *Natürlich nur, wenn es nichts Schlimmes ist*, fügte er in Gedanken hinzu. »Soll ich dir helfen?«, fragte er, als er sah, dass sie sich mit dem Tragegestell abmühte.

»Danke, es geht schon. Ich muss das sonst ja auch alleine machen!« Sie hievte ihr zappelndes Baby mit etwas Mühe hinein. Als sie sich umwandte, um das Büro zu verlassen, wäre sie fast mit Torsten Schröder zusammengestoßen, der es in genau diesem Moment betreten wollte. Bei dem Gewicht, das der Wachmann auf die Waage brachte, hätte ein Zusammenprall böse enden können. Erst, als er höflich zur Seite trat, war der ältere Herr hinter ihm zu sehen, den er mitgebracht hatte.

* * *

Martina de Luca entledigte sich mit routinierten Bewegungen ihrer OP-Handschuhe, der Kopfhaube und dem Mundschutz, die sie in den letzten anderthalb Stunden getragen hatte, und überreichte Martin Weber einen braunen DIN-A4-Umschlag, den sie aus einem Regal mit ›Werkzeugen‹ genommen hatte. Ihr Assistent, ein Student im vierten Semester, der mit ihr die

Leichenschau an Antonius Eschbach durchgeführt hatte, schob derweil den Körper in die Kühlkammer und begann, den Sektionstisch zu säubern.

»Dies ist das Ergebnis des DNA-Vergleichs, den ich an beiden Leichen machen ließ«, erklärte sie. »Herr Heller wollte ja wissen, ob es zwischen ihnen einen direkten Zusammenhang gibt. Zumindest genetisch existiert keiner, sie sind nicht miteinander verwandt. Wenn sie das nachher mitnehmen wollen? Dann hat Herr Heller ihn auf jeden Fall einen Tag früher als mit der Post. Er hat es ja immer besonders eilig!«

»Hat es bei der heutigen Obduktion irgendwelche Anomalien gegeben?«, erkundigte sich Jonas Faber, weil die Rechtsmedizinerin keine Anstalten machte, mit der üblichen Zusammenfassung zu beginnen. Die Frage, ob auch *dieser* Mann einem Gewaltverbrechen zum Opfer gefallen sein könnte, brannte jedoch allen unter den Nägeln. Dass er sich damit den Zorn der als Misanthrop verschrienen Frau zuziehen könnte, war ihm jetzt egal. Hier ging es um Fakten!

Sie musterte ihn von oben nach unten. »Wenn Sie andeuten wollen, dass dieser Mann nicht eines natürlichen Todes gestorben ist, muss ich Sie enttäuschen, Herr Faber«, bequemte sie sich zu einer Antwort. »Es sei denn, man will eine durch maßlosen Fettkonsum und das Rauchen von Zigarren entstandene Arterienverengung als unnatürlich bezeichnen. Denn genau das hat in letzter Konsequenz den Hirnschlag verursacht, an dem er gestorben ist. Das Blutgerinnsel war nicht schwer zu entdecken und eine andere Ursache konnte ich dafür nicht finden. Um es etwas deutlicher zu formulieren: An seinem plötzlichen Tod hat niemand sonst Schuld, das hat er ganz alleine hinbekommen!«

»Und wie sieht es diesbezüglich bei dem anderen Toten aus, können sie uns dazu schon etwas sagen?«, hakte Martin ein. Sollte die Pathologin bei ihm zu einem ähnlichen Urteil kommen, oder es sich trotz des ersten Eindrucks doch um einen Unfall gehandelt haben, wäre der Fall für die SOKO erledigt. Man hätte es dann nur mit einer Ordnungswidrigkeit zu tun, da eine Leiche vorschriftswidrig entsorgt worden wäre. Völlig auszuschließen war das nämlich nicht, das war alles schon vorgekommen!

Sofort richtete de Luca ihren sezierenden Blick auf den Hauptkommissar und ein feines Lächeln machte sich auf ihren Lippen breit. Der Gegensatz zwischen den beiden Ermittlern konnte jetzt, wo sie nebeneinander standen, aber auch nicht größer sein: schicker Anzug hier, legere Kleidung dort. Modemagazin und Second-Hand-Shop einträchtig beieinander.

»Sie werden wohl die Autopsie abwarten müssen«, antwortete sie boshaft. »Ich kann Ihnen allenfalls einen Hinweis geben, da ich ihn bereits einer äußeren Sichtung unterzogen hatte, bevor ich die Anordnung bekam, den anderen vorzuziehen. Er hat am ganzen Körper schwerste Verletzungen, die durchaus todesursächlich gewesen sein könnten. Aber darauf werde ich mich jetzt nicht festlegen. Wenn es nicht abwegig wäre, würde ich sagen, dass er von einem Auto überfahren wurde. Er wäre eher früher als später an jeder dieser Verletzungen gestorben, doch ob sie die Todesursache waren, muss die Leichenschau zeigen.«

»Also das Opfer eines Verkehrsunfalls?«, überlegte Martin laut, wobei er aber mehr zu sich selbst sprach. »Wie ist er dann in das Loch gekommen?«

»Das herauszufinden, ist wiederum Ihre Aufgabe«, versetzte sie schnippisch. »Doch wie gesagt, ist das ja nur ein allererster Eindruck, der sich nicht bestätigen muss. Fakt sind hingegen drei Rippenfrakturen, die seine Lunge mehrfach perforiert haben dürften. Ich habe sie beim Röntgen entdeckt. Sie könnten tödlich gewesen sein, werden aber wahrscheinlich nachträglich aufgetreten sein, als der schwere Eichensarg auf dem Körper aufsetzte. Genaueres erfahren Sie nach der Autopsie, die ich übermorgen früh um 08:00 Uhr als Erstes durchführen werde. Vorher geht es nicht!«

* * *

Der Besucher, Tobias schätzte ihn auf irgendwas in den Siebzigern, deutete auf die gestrige Ausgabe vom *Rhein-Sieg-Echo*, die immer noch mit dem Leitartikel nach oben vor ihm auf dem Tisch lag. »Deswegen bin ich zu Ihnen gekommen«, nickte er. Er war eine sehr gepflegte Erscheinung und wirkte seriös.

Tobias beugte sich mit jäh erwachendem Interesse vor. Es kamen andauernd Leute zu ihm, die angeblich etwas Ungewöhnliches gesehen hatten und darüber eine Aussage machen wollten. Das meiste erwies sich hinterher als Irrtum oder Hirngespinst, weshalb er auch diesem Besucher zunächst kritisch gegenüberstanden hatte. Aber natürlich war es seine Pflicht als Polizeibeamter, ihn anzuhören. »Sie wissen etwas darüber, Herr …?«, fragte er den Mann, der sich ihm noch nicht vorgestellt hatte.

»Alfons Köhler«, folgte dieser sofort der stummen Aufforderung und stellte sich namentlich vor. Tobias machte eine einladende Geste mit der Hand, worauf er auf einem der Stühle vor dessen Schreibtisch Platz nahm. »Genauer gesagt habe ich Freitagnacht etwas gesehen, das ich erst nach der Lektüre dieses Artikels so richtig zu würdigen wusste«, begann er gestelzt. Tobias vermutete in ihm automatisch einen Akademiker oder pensionierten Lehrer.

Er zog sein Handy aus der Tasche und legte es vor Köhler auf den Tisch. »Wenn Sie einverstanden sind, nehme ich unser Gespräch auf«, wandte er sich an ihn und aktivierte nach einem geäußerten »Nur zu« und einem begleitenden Nicken die Sprachaufzeichnung. Das würde es später vereinfachen, die notwendige Abschrift für die Akten zu fertigen, da man eine Sprachaufnahme ja nicht unterschreiben konnte.

»Sie haben also in der Nacht zum Samstag etwas gesehen, das Ihnen zunächst nicht wichtig erschien, jedoch aufgrund des Artikels in der Zeitung im Nachhinein Ihren Verdacht erregte«, wiederholte er noch mal für das Protokoll, wobei er sich automatisch an die überkorrekte Ausdrucksweise seines Gegenübers anpasste. Er hatte schließlich ebenfalls ein Studium vorzuweisen! »Ist das so korrekt?«

»Es war 01:42 Uhr«, hob Köhler an, ohne auf seine Frage näher einzugehen. »Ich war in Troisdorf auf einer Feier bei Freunden gewesen und fuhr mit dem Bus nach Hause. Die Zeit weiß ich deshalb so genau, weil wir am Friedhof an einer Ampel halten mussten und ich auf meine Uhr sah. Die Haltestelle, an der ich aussteigen wollte, war nur hundert Meter weiter.«

»Der Betriebshof«, wusste Tobias. »Um die Uhrzeit wird das die Endstation gewesen sein. Die von Ihnen genannte Ampel ist unmittelbar an der Kreuzung zur Leostraße, wo sich hinter der Umfassung des Friedhofs das Grab befindet, um das es hier geht«, wies er auf die Zeitung. »Ich kenne mich in der Gegend ganz gut aus«, fügte er hinzu, als Köhler ihn verwundert ansah. Die Hecke war zudem dieselbe, über die er am Tag des Leichenfundes gesprungen war.

»Ich blickte also auf die Uhr«, fuhr der Zeuge fort. »Und als ich wieder aufsah, sprang die Ampel gerade um und der Bus setzte sich in Bewegung. Wenn Sie sich so gut auskennen, wissen Sie ja auch, dass die Stelle, wo hinter einer Hecke dieses Grab ist, keine zwanzig Meter von der Kreuzung entfernt ist. Und genau dort schien ein Mann gerade etwas hinübergeworfen zu haben. Sein Wagen stand mit laufendem Motor am Straßenrand. Jedenfalls vermute ich, dass es seiner war. Ich dachte, dass da einer seinen Müll entsorgt hatte, aber jetzt ...?«

»Und jetzt denken Sie, dass es unsere Leiche war«, vollendete Heller den Satz. Die Uhrzeit deckte sich auf jeden Fall mit den Angaben, die Jonas und Erik von ihrer Befragung am Vortag mitgebracht hatten, doch das sagte er Köhler natürlich nicht. »Haben Sie das Kennzeichen dieses Wagens erkennen können?«, fragte er ohne große Hoffnung, weil das Zeitfenster allenfalls Sekunden gedauert haben konnte.

»Er hatte das Licht am Auto brennen lassen, daher konnte ich das Nummernschild ganz gut erkennen«, hörte er Köhler zu seinem Erstaunen sagen. »Zumindest den größten Teil davon!«

* * *

*›Josef Eschbach, Bauunternehmung‹*, stand auf dem Messingschild an der Fassade des dreigeschossigen Hauses, in dem sich seit einigen Jahren die Geschäftsräume der vom Vater des Verstorbenen gegründeten Immobilienfirma befanden. Dieser hatte den damals kleinen Familienbetrieb nach dem Zweiten Weltkrieg mit nichts als einem winzigen Startkapital, Muskelkraft und jeder Menge Enthusiasmus aufgebaut. Da dieses Land ohnehin am Boden lag, konnte es seiner Meinung nach nur noch aufwärtsgehen, was es dann bekanntlich tat. Der Firmengründer war schon lange tot, der Name war geblieben.

Drinnen waren sie in einen großen Raum aus Glas, Stahl und Marmor gelangt. Beherrscht wurde er von einem riesigen Schreibtisch aus erlesenem Mahagoni, auf dessen Tischplatte man einen Kleinwagen hätte parken können, und einer Sitzecke mit einigen Ledersesseln und Tischchen mit Zeitschriften. Dort hatten es sich Erik und Vanessa bequem gemacht, nachdem die Empfangsdame Ihnen erklärt hatte, dass der Chef in einer wichtigen Besprechung sei und nicht gestört werden dürfe.

So war eine Stunde ins Land gegangen, eine Zeitspanne, die man sicherlich mit nützlicheren Dingen hätte verbringen können, als irgendwelche Magazine über Architektur zu lesen. Das Angebot, ihnen Kaffee oder andere Erfrischungen zu servieren, hatten beide höflich aber entschieden abgelehnt. Als polizeilicher Ermittler war man unter Umständen den ganzen Tag unterwegs, und was man trank, musste früher oder später wieder hinaus.

Erik sah auf die Uhr. »Es ist fünf Minuten später als beim letzten Mal«, wies ihn Vanessa zurecht, weil diese Geste bei ihm langsam zu einer nervösen Angewohnheit wurde. »Wenn du alle Augenblicke auf die Uhr schaust, geht es auch nicht schneller!«

»Wir vertrödeln hier bloß unsere Zeit!«, brummte er ungehalten. »Während wir tatenlos herumsitzen, hätten wir locker drei andere Leute befragen können. Du weißt selbst, wie lang die Namensliste ist. Wenn das in diesem Tempo weitergeht, haben wir bis zum Sankt-Nimmerleins-Tag zu tun!«

»Der Sohn des Verstorbenen steht aber ganz oben an erster Stelle«, flüsterte sie, damit die Empfangsdame es nicht mitbekam. »Wenn wir vorhin einfach wieder gegangen wären, hätten wir beim nächsten Mal dasselbe Problem! Wir haben derzeit keine Handhabe, ihn zu einem Gespräch zu zwingen, da er kein Verdächtiger ist. Es wird bestimmt nicht mehr lange dauern ... Warte einen Augenblick, da kommt eine Nachricht herein!« Sie zog ihr Handy aus der Tasche und las die soeben eingegangene SMS. »Sie ist vom Chef«, teilte sie ihrem ungeduldigen Kollegen mit. »Wir sollen sofort ins Kommissariat kommen, Tobias hat einen Tatzeugen aufgetan!«

Die Kommissarin schrak förmlich zusammen, als hinter ihr plötzlich eine Stimme ertönte. Sie hatte die Annäherung der Empfangsdame in ihrem Eifer nicht bemerkt, allerdings dämpfte der flauschige Teppich auch nachhaltig alle Laufgeräusche. »Herr Eschbach hätte jetzt ein paar Minuten Zeit für Sie!«, meldete die Frau in geschäftsmäßigem Ton. »Wenn Sie mir bitte folgen möchten?«

Vanessa überlegte einen Moment und wog ihre Optionen gegeneinander ab. Sollte sie der Order des Chefs sofort Folge leisten, oder diese Chance nutzen? Ein paar Minuten würden sicher noch drin sein und wer wusste schon, ob und wann eine solche Gelegenheit wiederkam! Sie gab Erik mit einem Wink zu verstehen, ihr zu folgen, und setzte sich entschlossen in Bewegung. Sie konnten zu diesem Zeitpunkt nicht ahnen, dass sie mit einer Sensation ins Kommissariat zurückkehren würden!

# Kapitel 7

*Motiv und Gelegenheit*

»Manchmal muss man dienstliche Anordnungen hinterfragen, wenn Ermittlungen vor Ort dem entgegenstehen«, nickte Tobias Heller seiner verbliebenen Kommissarin zu. »Das kann nur die Ermittlerin oder der Ermittler entscheiden und es war im Nachhinein absolut korrekt, die Befragung von Markus Eschbach noch durchzuführen. Leider blieb dadurch keine Zeit mehr, die heiße Spur zu verfolgen, die sich durch den unverhofft aufgetauchten Tatzeugen ergeben hatte«, wandte er sich direkt an Vanessa. »Jonas und Martin waren noch in der Rechtsmedizin und ich hatte einen Termin bei den Kollegen der internen Ermittlung, die mich zu dem Vorfall am Montag befragt haben.«

»Und als wir dann im Kommissariat waren, hatten die von der IT die Onlineverbindung zu den Datenbanken der Kreisverwaltung wegen angeblich dringender Wartungsarbeiten gekappt und das Straßenverkehrsamt hatte schon Feierabend«, hob Vanessa die Schultern. »Dadurch können wir die Suche nach dem Halter des Autos, das der Zeuge gesehen hatte, erst heute Morgen durchführen. Dafür kennen wir aber jetzt die Identität des Opfers!«

Die Befragung des derzeitigen Firmenchefs, dem ältesten Sohn des verstorbenen Antonius Eschbach und wahrscheinlich ohnehin Haupterbe des Firmenimperiums, hatte zunächst nichts weiter ergeben. Er hatte sich den Ermittlern gegenüber sehr zugeknöpft gezeigt und stattdessen sein Interesse an der Freigabe der Leiche seines Vaters und der Grabstelle bekundet, um einen zweiten Bestattungstermin organisieren zu können.

Diesen berechtigten Wunsch konnte Tobias Heller ihm gleich heute Morgen erfüllen, da die Staatsanwaltschaft den Leichnam aufgrund des zunächst nur mündlich vorliegenden Obduktionsergebnisses freigegeben hatte. Die eigentliche Sensation war jedoch gewesen, dass Markus Eschbach den anderen Mann aus dem Grab, und Grund für die ganze Verwirrung, auf dem nachbearbeiteten Gesichtsfoto erkannte, das Vanessa ihm zum Abschluss gezeigt hatte!

»Also, ich weiß nicht«, ließ sich Martin Weber jetzt vernehmen. »Da kennt dieser Sohn des verstorbenen Bauunternehmers das Opfer nicht nur, es lag zudem noch in dem Grab, in das eigentlich sein Vater gehört hätte! Kommt nur mir das verdächtig vor?«

»Für die Tatzeit hat er jedenfalls ein Alibi«, klärte Vanessa ihn auf. »Wenn auch nicht über die vollen vier Stunden, die für die Todeszeit geschätzt wurden. Er hatte sich mit Freunden zum Skat verabredet und sie haben bis ungefähr 01:00 Uhr gespielt. Für den Heimweg will er eine halbe Stunde gebraucht haben. Das muss allerdings noch überprüft werden.«

»Das können Martin und Jonas nachher machen«, bestimmte der SOKO-Chef. »Für den ganzen Zeitraum benötigen wir ohnehin keine Alibis, da mittlerweile die Aussagen von zwei Personen vorliegen, die unabhängig voneinander in der Nacht auf dem Friedhof eine verdächtige Aktion beobachteten. Eine Angabe ist mit 01:42 Uhr sogar ziemlich präzise. Da wird der Täter gemäß der Beobachtung des Herrn Köhler die Leiche über die Hecke geworfen haben. Die Aussage des Zeugen, der nach einem Kneipenbesuch ebenfalls da vorbeikam und jemanden am Grab hantieren sah, ist zwar etwas schwammig, wird jedoch kurz darauf gewesen sein. Wir benötigen demnach nur bestätigte Alibis für die Zeit von Mitternacht bis 02:00 Uhr!«

»Außerdem muss man schon reichlich bescheuert sein, jemanden zu töten und die Leiche ausgerechnet in dem Grab des eigenen Vaters zu entsorgen, wo sie doch sofort entdeckt würde!«, bemerkte Jonas Faber. »Wie hieß dieser Mensch noch?« Weil es gestern sehr spät geworden, und diese Fallbesprechung gleich zu Dienstbeginn anberaumt worden war, hatte Vanessa es nicht geschafft, ihren Bericht in die Wissensdatenbank einzupflegen und ihn zunächst mündlich abgegeben.

»Der Tote? Oliver Maier, Enthüllungsjournalist der übelsten Sorte bei einer Kölner Zeitung«, wiederholte Tobias geduldig, was Vanessa zu Beginn der Besprechung vorgetragen hatte. »Markus Eschbach kannte ihn, weil sein Vater einige Male mit ihm aneinandergeraten war. Es ging dabei um die Beschäftigung von Schwarzarbeitern, Beamtenbestechung und einiges mehr. Ich habe das vorhin rasch recherchiert. Damit hatte Eschbach Senior zwar ein starkes Mordmotiv, aber da war er bekanntlich selbst schon tot. Andererseits werden diejenigen, die Maier ebenfalls gerne ans Leder gegangen wären, nicht gerade wenige gewesen sein, könnte ich mir vorstellen!«

»Wir werden eine Liste der möglichen Kandidaten erstellen«, bot Vanessa Fuchs an. »Jetzt könnten wir Jasmins Fähigkeiten gebrauchen, aber andererseits müssen wir nur die entsprechenden Zeitungsartikel der letzten Jahre durchgehen. Doch zuerst holen wir uns den Halter des Wagens, den der Zeuge Köhler am Friedhof gesehen hat!«

Tobias sah auf seine Uhr. »Man hat mir zugesagt, dass die Onlineabfrage in ein paar Minuten wieder zur Verfügung stehen soll«, nickte er. »Da der Zeuge nicht das ganze Kennzeichen erkennen konnte, wird ein Anruf auf der Zulassungsstelle nichts bringen. Er sah nur die Buchstaben und eine Ziffer, es könnten also bis zu drei Werte fehlen. Meiner Erfahrung nach heißt das, wir werden am Ende eine Handvoll Treffer haben. Auch, wenn wir die alle abklappern müssen, ist das noch überschaubar. Und falls einer davon eine Verbindung zu Maier hat, wäre das natürlich ideal!«

\* \* \*

Vanessa hatte Erik die vermeintlich leichtere der von Tobias übertragenen Aufgaben zugeteilt, er sollte alle Zahlenkombinationen des von Köhler genannten Nummernschildes überprüfen. Bei den Buchstaben war dieser sich sicher gewesen, doch von den Ziffern hatte er nur die Linke sehen können. Es war sowieso ein Wunder, dass er in den wenigen Sekunden etwas hatte erkennen können. Zumal er zu dieser Zeit noch nichts von der Leiche wusste.

Da die Ordnungszahlen hierzulande maximal vierstellig waren, musste Erik zunächst eine Liste aller Zulassungen mit diesen Buchstabenkombinationen erstellen. Da es hierfür über die jetzt wieder funktionierende Onlineabfrage keine Auswertungsmöglichkeit gab, musste er die Variationen einzeln eintippen. Eine extrem langweilige und auch nervtötende Angelegenheit. Eine Auswertung im Rechenzentrum wäre zielführender gewesen, aber so etwas dauerte meist ein paar Tage, die man sich sparen wollte.

Sie waren mit Tobias allein im Kommissariat, da Jonas und Martin gleich im Anschluss an die Fallbesprechung in den Außendienst gefahren waren. Sie wollten die Glaubwürdigkeit der beiden Skatbrüder von Markus Eschbach vor Ort überprüfen und gleichzeitig die Strecke abfahren, die er auf dem Heimweg genommen hatte, um die Fahrzeit zu ermitteln. Beide wohnten in Niederkassel, acht Kilometer von seiner Wohnung in Troisdorf-Sieglar entfernt. Mitten in der Nacht und unter Umgehung der Verkehrsregeln wäre das notfalls vermutlich eine Sache von zehn Minuten gewesen. Zeit genug also für den Mord an Maier und anschließend dessen Leiche zu entsorgen. Motiv und Gelegenheit, zumal er von dem offenen Grab wusste!

Aber natürlich konnte man die Beobachtung des Zeugen Köhler nicht einfach unberücksichtigt lassen, und auf Markus Eschbach war kein Auto mit diesem Kennzeichen zugelassen. Auch nicht auf seine drei Geschwister. Vanessas Aufgabe bestand in der nicht minder langwierigen, jedoch auch anspruchsvolleren Ermittlung der möglichen Kandidaten, die ebenfalls ein Mordmotiv haben könnten, und dazu wühlte sie sich durch die Onlineausgaben der Zeitung, für die Maier geschrieben hatte. Auf die Füße getreten hatte der Kerl offenbar einer Menge Leute, wie es aussah!

»Ich bin jetzt mit den Halterfeststellungen durch«, meldete Erik in diesem Augenblick. »Elf Kandidaten konnte ich ermitteln. Das war die reinste Sisyphusarbeit, weil die jeweiligen Zahlenwerte immer sehr weit auseinanderlagen.«

»Das sind Tausende von Eingaben«, wunderte sich seine Kollegin nach einem Blick zur Uhr. »Wie hast du die in der kurzen Zeit alle eingeben können? Gibt dabei es einen Trick, den ich nicht kenne?«

»Amara hat mir ein Makro geschrieben«, grinste er. »Das hat die meiste Arbeit nahezu allein gemacht, ich musste nur jedes Mal eine Taste betätigen und bei einem Treffer eine Bildschirmkopie anfertigen!«

Vanessa lächelte still in sich hinein. Die attraktive IT-Spezialistin aus Vogels Team arbeitete in solchen Dingen gerne mit Erik zusammen und für ihn war es ein willkommener Anlass, sie in der Forensik aufzusuchen. Es war ein offenes Geheimnis, dass er für sie schwärmte, allerdings schien sie seine Gefühle nicht zu erwidern. »Gib mir die Liste mal rüber. Ich bin mit meinen Recherchen zu dem Presseheini auch gleich fertig, dann kann ich die Opfer seiner diversen Nachstellungen damit abgleichen.«

Oliver Maiers Lieblingsbeschäftigung schien es in den vergangenen sieben Jahren gewesen zu sein, sich Geschäftsleute, Politiker und hochstehende Beamte aller nur denkbaren Branchen und Behörden vorzunehmen, selbst ein Bundesrichter war vor ihm nicht sicher gewesen. Die Bandbreite der oftmals nur unzureichend nachgewiesenen Anschuldigungen reichte von Korruption über Bestechung bis zu Steuerhinterziehung und Geldwäsche.

Dass dies in den meisten Fällen nicht ohne gerichtlich erwirkte Unterlassungsverfügungen oder sogar Verleumdungsklagen abgelaufen war, konnte man sich lebhaft vorstellen. Offenbar war dem Verlag der Knalleffekt, den er damit erzeugte, diesen Ärger wert. Das Meiste geriet mit der Zeit in Vergessenheit, aber es blieben nach Vanessas Recherchen eine gute Handvoll seiner Opfer übrig, deren Ruf nachhaltig geschädigt wurde. Mit anderen Worten: Jeder dieser Leute hätte ein Motiv gehabt, den lästigen Vogel ins Jenseits zu befördern!

Weil er für eine überregionale Zeitung geschrieben hatte, waren die betreffenden Kandidaten natürlich ebenfalls im gesamten Bundesgebiet zu finden, aber das von Köhler genannte Kennzeichen war aus dem Rhein-Sieg-Kreis, und da kamen nur drei Personen in Betracht, wovon eine erst kürzlich verstorben war: Antonius Eschbach! »Jetzt ist mir auch klar, warum dessen Sohn den sofort erkannt hat«, informierte sie Erik über ihre Erkenntnis. »Aber da er keinen Wagen mit einem passenden Kennzeichen besitzt, ist das für uns ohnehin irrelevant. Der zweite Kandidat steht ebenfalls nicht auf deiner Liste, bleibt eigentlich nur noch einer übrig, der sogar im selben Ortsteil wohnt, in dem der Friedhof liegt. Und diesen Herrn nehmen wir uns jetzt vor!«

Sie schaute erneut auf ihre Uhr. »Wir haben dank der Unterstützung deiner genialen ›Freundin‹ in der kurzen Zeit viel geschafft!«, meinte sie, worauf Eriks Gesicht von einem zarten Rosa überzogen wurde. »Es ist noch nicht mal Mittag, ich sage schnell dem Chef Bescheid, dann kann es losgehen!«

* * *

»Die Rechtsmedizinerin sagte gestern Martin und Jonas gegenüber, dass einige Verletzungen des Toten unter Umständen von einem Autounfall herrühren könnten«, äußerte sich Erik. Vanessa setzte gerade den Blinker und lenkte den Audi in die Straße, wo ein gewisser Karl-Heinz Stumpf, dem das Fahrzeug mit dem vorhin ermittelten Kennzeichen gehörte, seine Wohnung hatte. »Schade, dass seine Obduktion erst für morgen angesetzt ist, denn wenn es tatsächlich ein Unfall war, könnten wir den Wagen untersuchen. Daran müssten dann ja Spuren zu finden sein!«

»Die finden wir auf jeden Fall«, wies Vanessa ihren jungen Kollegen auf die Tatsache hin, dass die Leiche höchstwahrscheinlich mit diesem Auto transportiert wurde. Sofern sie das richtige Kennzeichen hatten, hieß das natürlich. »Wir müssen uns nur den Kofferraum ansehen. Falls wir darin Blut und/oder DNA des Opfers finden, ist er selbst dann geliefert, wenn sein Auto äußerlich unbeschädigt ist!«

Sie parkte den Dienstwagen vor dem Haus mit der Nummer 48 und machte eine bezeichnende Kopfbewegung zur offenen Garage gleich vor ihnen auf dem Grundstück. Sie war leer. »Sein Auto ist schon mal nicht da«, meinte sie. »Er könnte natürlich um diese Zeit in seinem Geschäft sein. Wollen wir hoffen, dass er es nicht ›entsorgt‹ hat!« Laut den Recherchen, die sie vor Antritt der Fahrt angestellt hatten, war der Dreiundsechzigjährige im Stadtrat und betrieb einen Kiosk in diesem Ortsteil, wo er sich zu dieser Uhrzeit befinden mochte. Sollten sie ihn hier nicht antreffen, würden sie eben dorthin fahren.

Sie folgte Erik, der bereits ausgestiegen war, nach draußen und prüfte gewohnheitsmäßig den Sitz der Dienstwaffe, die sie heute Morgen ebenso wie Tobias und Martin von der ›Internen Ermittlung‹ zurückbekommen hatte. Die forensischen Untersuchungen und die Befragungen zum Schusswaffengebrauch am Montag, denen sich alle Beteiligten stellen mussten, waren abgeschlossen und ein Dienstpflichtvergehen nicht nachgewiesen worden. Aber selbstverständlich musste alles seine Richtigkeit haben.

Man hatte am Einsatzort jeden Quadratmeter mit hochempfindlichen Metalldetektoren abgesucht und sowohl sämtliche Geschosse als auch die dazugehörigen Patronenhülsen gefunden. Auch von der Waffe der Angreiferin, wodurch die im Wesentlichen übereinstimmenden Aussagen in vollem Umfang gestützt wurden. Als positiver Nebeneffekt war jetzt die Identität der Attentäterin ebenfalls belegt, denn die von ihr abgegebenen Schüsse stammten zweifelsfrei aus der Pistole des von ihr überwältigten Wachmannes.

\* \* \*

*Zur selben Zeit, nicht weit entfernt*

Ljudmila Sokolowa ließ sich mit den Menschen in der Fußgängerzone treiben. Hier in der alten Bundeshauptstadt war immer viel Betrieb, vor allem, wenn Wochenmarkt war. Sie fühlte sich in ihrer Verkleidung sicher, obwohl nach ihr gefahndet wurde. Allerdings hatte sie noch keine Steckbriefe gesehen, wahrscheinlich waren diese derzeit nur für den internen Gebrauch der Polizei gedacht. Besser für sie!

In ihrer Heimat hätte sie das nicht gewagt, da in den großen Städten die Straßen und Plätze förmlich mit Kameras gespickt waren, die über eine automatische Gesichtserkennung jede gesuchte Person identifizieren konnten und bei einer Sichtung sofort Alarm auslösten. Außerdem hätte man sofort eine flächendeckende Fahndung gestartet und jede Frau, die auch nur annähernd der Gesuchten ähnelte, erst einmal festgenommen. Beides wäre aber hier, im freiheitsliebenden Deutschland, einfach undenkbar.

Erst kürzlich hatte sie irgendwo gelesen, dass man in der nahen Eifel Wölfe gesichtet haben wollte. Da sie aus Russland und Polen einwanderten, war dieser Fluss eine natürliche Grenze für sie. Offenbar hatten sie einen Weg gefunden, ihn zu überqueren, womöglich nachts über die vielen Rheinbrücken. Ljudmila fühlte sich mit den schlauen Tieren verbunden, denn es waren Jäger wie sie. Und so, wie die Wölfe einen Weg in die Eifel entdeckt hatten, würde auch sie bald ihre Zielperson aufgespürt haben!

Alles, was sie dafür benötigte, war ein Handy, ein Tablet oder ein Notebook, auf dem sie eine spezielle, in Deutschland natürlich illegale Software aufspielen konnte. Und weil ihr die notwendigen finanziellen Mittel fehlten, eins zu kaufen, musste es anderweitig ›beschafft‹ werden. Und wo wäre dies leichter, als in einer überfüllten Fußgängerzone? Außerdem gab es hier auch eine Universität, da liefen garantiert etliche Studenten mit solchen Geräten herum! Irgendwelche Skrupel, einem, der sowieso nichts hatte, etwas abzunehmen, hatte sie keine. Wie bei jeder Jagd galt auch hier das Recht des Stärkeren!

Daran, dass sie ihr Opfer schon bald gestellt haben würde, bestand für sie kein Zweifel, denn schließlich hatte man sie ausgebildet, staatsfeindliche Elemente auf der ganzen Welt aufzuspüren und zu eliminieren. Wovon der Präsident natürlich offiziell nie Kenntnis hatte! Na ja, *hiervon* wusste er tatsächlich nichts, das war sozusagen ihre private Angelegenheit. Auf Hilfe aus Moskau konnte sie daher dieses Mal nicht hoffen, was die Sache verkomplizierte, aber nicht unmöglich machte.

»Darf ich bitte Ihren Ausweis sehen?« Sie schrak aus ihren Gedanken, als sie unmittelbar neben sich eine befehlsgewohnte Stimme vernahm. Polizei! Sie suchte fieberhaft nach einem Ausweg. Das Gedränge war hier groß. Ob es erfolgversprechend war, einfach in der Menge zu verschwinden? Aber dann hätte sie innerhalb von Sekunden eine Meute hinter sich, denn wo einer war, das waren meist noch mehr!

Als sie sich vorsichtig umschaute, wobei sie den Kopf weiterhin gesenkt hielt, sodass ihr Gesicht von ihrem Sommerhut und der Sonnenbrille weitgehend verdeckt blieb, erblickte sie zwei Polizeibeamte, die jedoch eine andere Person direkt neben ihr angesprochen hatten. Eine Frau, die ihr in der Tat sehr ähnlich sah. Das war verdammt knapp! Innerlich aufatmend, wollte sie sich unauffällig von diesem gefährlichen Ort entfernen. Hier war sie nicht mehr sicher, weil es entgegen ihrer ersten Einschätzung augenscheinlich von Polizisten wimmelte! Aber wohin sollte sie sich wenden? Sie sah sich um und entdeckte am Ende der Gasse ein Schild, das die Lösung für all ihre Probleme versprach!

\*\*\*

Zu ihrer grenzenlosen Überraschung öffnete ihnen niemand anderer als Karl-Heinz Stumpf persönlich die Tür, und zwar bereits Sekunden nach dem ersten Klingeln. Er musste direkt dahinter gestanden haben. Womöglich hatte er ihre Ankunft vom Fenster beobachtet und dass sie Polizisten waren, sah man ihnen ja aufgrund der mitgeführten Pistolen an. War diese Reaktion ein Zeichen für seine Unschuld oder für ein schlechtes Gewissen? Vanessa hatte in ihrer mehrjährigen Laufbahn schon beides erlebt.

Sie hob ihren Dienstausweis hoch. »Herr Stumpf? Kriminalkommissarin Fuchs, Kripo Siegburg. Bei mir ist mein Kollege Hagel. Haben Sie einen Moment Zeit? Wir würden Sie gerne zu einem Vorfall befragen, den wir derzeit untersuchen. Danke!« Der Schritt zurück, den Stumpf nun machte, mochte der Überraschung geschuldet sein, doch Vanessa wertete es als Zeichen, eintreten zu dürfen, und schob sich resolut an ihm vorbei. Ihm blieb nichts anderes übrig, als ihr und ihrem jugendlich aussehenden Begleiter ins Innere seiner Wohnung zu folgen.

»Wieso sind Sie nicht in Ihrem Laden?«, überfiel die Kommissarin den Mann gleich in der Diele, noch bevor sie eins der Zimmer erreicht hatten. Sie hatte sich unmittelbar vor ihm aufgebaut und weil sie mit 1,74 Meter Körpergröße so groß war wie er, konnte sie ihm dabei direkt in die Augen schauen.

»Ich ... Meine Frau ist heute damit an der Reihe, den Kiosk zu führen«, stotterte Stumpf verdattert. »Mittwochs ist sowieso nie viel los. Aber was hat das jetzt mit Ihrem unangemessenen Auftreten zu tun? Und was ist das überhaupt für ein ›Vorfall‹, den Sie untersuchen? Ich bin im Stadtrat und verfüge über gewisse Verbindungen. Ich überlege ernsthaft, ob ich mich an höchster Stelle über Sie beschweren soll!«

»Und wo ist Ihr Auto?«, stellte sie ungerührt ihre nächste Frage, ohne auf seine unverhüllte Drohung näher einzugehen. »Ist Ihre Frau damit unterwegs?«

»Nein, das ist in der Werkstatt zur … Inspektion!«, brummte er. »Ich weiß aber immer noch nicht, was Sie mit diesen Fragen bezwecken! Was wollen Sie von mir?«

»Wir untersuchen ein Tötungsdelikt«, klärte sie ihn endlich auf. Bevor sie ihn eingehend zu der Sache befragte, musste sie das ohnehin tun. »Und in diesem Zusammenhang hat sich bei uns ein Zeuge gemeldet, der Ihren Wagen in der Nähe des Tatortes gesehen hat. Ich frage Sie jetzt: Wo waren Sie in der Nacht zum Samstag zwischen Mitternacht und 02:00 Uhr? Ich weise Sie darauf hin, dass Sie sich nicht selbst belasten müssen!« Neben sich hörte sie das hinlänglich bekannte Kratzen eines unglaublich spitzen Bleistifts, mit dem Erik Notizen anzufertigen pflegte.

Stumpf wurde bleich bis unter die Haarwurzeln. »Ich war mit Freunden in der Dorfschänke unten am Markt«, hauchte er. »Wir haben den ganzen Abend Skat gespielt, da können Sie den Wirt fragen. Irgendwann nach Mitternacht bin ich nach Hause gefahren. Die genaue Zeit kann ich Ihnen nicht nennen, aber auch das wird Ihnen der Wirt oder meine Skatbrüder sagen können.«

»Wir werden das überprüfen, Herr Stumpf. Mein Kollege wird die Namen und Adressen aufschreiben«, nickte sie Erik auffordernd zu. »Würden Sie uns jetzt bitte noch Ihren Schuhschrank zeigen?«

»Meinen ... *Was?*«, fuhr Stumpf auf. Seine Stimme hatte wieder deutlich an Lautstärke zugenommen. »Was gehen Sie denn unsere Schuhe an? Dürfen Sie das überhaupt?«

»Ohne Ihre Einwilligung benötige ich dazu in der Tat eine richterliche Anordnung«, informierte sie ihn pflichtgemäß. »Die ich Ihnen jedoch nach Lage der Dinge innerhalb einer Stunde vorlegen kann. Warum kürzen wir die Sache nicht einfach ab und Sie zeigen mir Ihre Schuhe? Sie würden uns unnötige Lauferei ersparen und dem Steuerzahler viel Geld! Falls wir nichts finden, war es das zunächst und Sie sind uns erstmal los. Und wenn doch, kriegen wir das sowieso heraus!«

Stumpf dachte kurz nach und wies dann mit finsterer Miene auf ein Möbelstück gleich ihm gegenüber. »Na gut«, brummte er mit sichtlichem Widerwillen. »Bedienen Sie sich!«

Vanessa gab Erik mit einem bezeichnenden Seitenblick zu dem Verdächtigen wortlos zu verstehen, auf diesen zu achten, und holte ihr Diensthandy hervor, auf dem sie vor der Fahrt hierher vorsorglich die von der Forensik am Grab sichergestellten Sohlenprofile abgespeichert hatte. Dann hockte sie sich vor den Schuhschrank und verglich die Herrenschuhe darin einzeln und sehr sorgfältig damit. Die Schuhgröße war zumindest identisch, und nach dem dritten Paar hatte sie bereits gefunden, was sie suchte!

»Ich nehme Sie hiermit vorläufig fest wegen des dringenden Tatverdachts, einen Journalisten namens Oliver Maier getötet zu haben!«, informierte sie Karl-Heinz Stumpf, der diese Ankündigung mit versteinertem Gesicht entgegennahm. »Erik, leg ihm Handschellen an!«, wandte sie sich an den Kommissaranwärter. »Und Sie, Herr Stumpf, nennen mir bitte die Telefonnummer ihrer Werkstatt. Ihr Auto ist hiermit offiziell beschlagnahmt. Hoffen Sie mit mir, dass die noch nicht mit ihrer ›Inspektion‹ angefangen haben. Ich müsste es dann als Versuch werten, Beweise für Ihre Tat verschwinden zu lassen!«

# Kapitel 8

*Erfolge und Niederlagen*

Vanessa hatte nach der Festnahme einen Streifen-
wagen angefordert und ihren Tatverdächtigen in die
Obhut der beiden uniformierten Kollegen gegeben.
Jetzt wäre ihr Auftrag im Grunde erledigt gewesen,
aber die Kommissarin hatte eine andere Idee. »Weißt
du was, Erik!«, wandte sie sich an den Kommissaranwärter. »Das ging doch jetzt alles sehr schnell, und wo
wir schon in der Gegend sind, suchen wir den
Eschbach Junior noch einmal auf. Die Firma ist doch
ganz hier in der Nähe!«

»Wozu denn das?«, wunderte der sich. »Wir haben
gerade erst eine Festnahme durchgeführt und sämtliche Indizien weisen auf Stumpf als Täter! Allein die
Schuhe reichen wahrscheinlich für eine Anklage, da sie
belegen, dass er in der Tatnacht am Grab gewesen sein
muss! Was willst du dann jetzt noch von dem Bauunternehmer? Außerdem sind Martin und Jonas unterwegs, sein Alibi zu überprüfen.«

»Nur der Vollständigkeit halber! Wir haben durch
unseren schnellen Ermittlungserfolg nämlich völlig
außer Acht gelassen, dass diese Familie noch weitere
Mitglieder hat, und zwar hat Markus Eschbach zwei
Brüder und eine Schwester, soweit mir bekannt ist. Die
hätten ähnliche Motive haben können, den Journalisten umzubringen!«

»Aber nur, falls er sie ebenfalls unter Druck gesetzt hat, wofür es aber keine Hinweise gibt. Oder hast du bei der Recherche der Zeitungsberichte etwas Diesbezügliches gefunden?«

»Das nicht, aber die Hetzkampagne richtete sich ja nicht gegen *Markus* Eschbach, sondern gegen seinen Vater Antonius, beziehungsweise dessen Firma! Hier geht es bekanntlich um eine Menge Geld, auch für die Geschwister! Es kann nicht schaden, uns nach ihnen zu erkundigen. Außerdem ist das trotz dieses ganzen Reichtums ein Familienunternehmen, es würde mich also nicht wundern, wenn wenigstens einer davon noch einen Posten dort hat. Vetternwirtschaften sind in solchen Betrieben absolut normal. Es wäre zudem reichlich unprofessionell, nicht in dieser Richtung zu ermitteln, nur weil wir einen Verdächtigen haben!«

\* \* \*

Ljudmila Sokolowa hatte in einer Studentenkneipe direkt gegenüber einem Kaufhaus tatsächlich Erfolg gehabt. Hier gab es nicht nur einen Mittagstisch zum erschwinglichen Preis, sondern auch WLAN, wie ein Schild im Fenster versprach. Außerdem war sie dort vor den Nachstellungen der Polizisten für eine Weile sicher, die vornehmlich die Fußgängerzone im Auge hatten. Da sie noch nichts gegessen hatte, nahm sie das preiswerte Speiseangebot dankend an.

Während sie mit großem Appetit ihr Eisbein mit Kartoffelklößen und Sauerkraut aß, beobachtete sie beiläufig die übrigen Gäste an den Tischen. Es waren wie erhofft Studenten und drei von ihnen hatten ihre Notebooks dabei, mit denen sie offenbar im Internet recherchierten. Ihre Chance war gekommen, als einer gleich am Nebentisch in der Toilette verschwand und den Computer aufgeklappt zurückließ. Wie es schien, wurde hier normalerweise nicht geklaut!

Es handelte sich um eines jener Geräte mit einem angebissenen Apfel auf dem Gehäuse und es war nur eine Sache von wenigen Sekunden, das edle Teil zuzuklappen und in ihrem Einkaufsbeutel verschwinden zu lassen, den sie vorsorglich mitgebracht hatte. Und weil sie ihr Essen im Voraus bezahlt hatte, konnte sie anschließend das Lokal verlassen, ohne aufgehalten zu werden. Der Student würde sich wundern, wenn er an seinen Tisch zurückkehrte, aber wer sich einen teuren Computer wie diesen leisten konnte, war sehr begütert und würde den Verlust daher leicht ersetzen können.

Für die Jägerin war er aus einem gänzlich anderen Grund wertvoll, da diese Geräte für eine extrem lange Akkulaufzeit bekannt waren, und ein Ladegerät war nicht mit im Angebot gewesen. Jetzt saß sie in einem Café zwei Straßen weiter, das ebenfalls kostenloses Internet anbot, und installierte eine spezielle Software, die sie von einem Server in der *Lubjanka*, der Zentrale des russischen Inlandsgeheimdienstes *FSB* heruntergeladen hatte. Die Ladeanzeige auf ›ihrem‹ Computer zeigte eine Restkapazität von 60 % an. Zeit für mindestens sechs Stunden, doch so lange würde sie nicht benötigen!

Eine Stunde später war ihr Optimismus jedoch auf einen absoluten Nullpunkt gesunken. So sehr sie sich auch anstrengte, das Satellitenbild auf dem Notebook blieb ohne die von ihr erhoffte Information, obwohl ein deutliches GPS-Signal zu sehen sein müsste! Das von ihr eigenhändig präparierte Gerät sendete seinen Standort permanent an den Server in Moskau, den sie wiederum mit ihrem Computer in Echtzeit abfragen konnte. War der Akku leer? Lange würde er jedenfalls nicht mehr halten, sie musste sich also beeilen! Aber warum hatte sie kein Signal? Vielleicht lag auch nur eine Störung vor. Sie beschloss, noch eine Stunde zu warten.

* * *

Die auserkorene Zielperson der Jägerin war auch am zweiten Tag nach ihrem unfreiwilligen Umzug in das *Sichere Haus* alles andere als zufrieden mit ihrem Los. Wenn sie wenigstens hinausgehen könnte! Aber das war gefahrlos, also ohne gesehen zu werden, nur auf der Rückseite möglich, und dort stand ja dieses Ungetüm, mit dem man sie hergebracht hatte! Petra Unger schauderte immer noch im Gedanken an die Schießerei bei ihrem Abflug.

Doch es war alles gut ausgegangen, nur um ihren Mann machte sie sich große Sorgen. Was würde die Polizei zu *seinem* Schutz unternehmen, wenn er übermorgen völlig ahnungslos aus München wiederkam? Sie war nicht in der Lage, ihn zu warnen, da sie das Festnetztelefon nicht benutzen durfte und es zudem abgeschlossen war. Ihr Handy hatte sie nicht dabei und es würde hier ohnehin nicht funktionieren, wie der große, gutaussehende Kerl ihr versichert hatte.

Darüber, wo dieses ›hier‹ eigentlich war, konnte sie nicht mal Vermutungen anstellen und ihre Bewacher schwiegen sich zu dem Thema nach wie vor aus. Im Rhein-Sieg-Kreis wahrscheinlich, weil Kommissarin

Brandt ansonsten sicher nicht hiersein durfte. Aber das Gebiet war nicht gerade klein, sondern einer der größten Landkreise Deutschlands! Sie wohnte zwar noch nicht lange in Nordrhein-Westfalen, doch dass es in dieser Gegend verschlafene Ecken gab, wo man sich gut verstecken konnte, war ihr bekannt. Sie waren eine ganze Weile herumgeflogen, wobei Müller einige Umwege gemacht hatte. Vermutlich waren sie irgendwo im Grenzgebiet des Rhein-Sieg-Kreises.

*Wie weit mag der nächste Ort entfernt sein?*, überlegte sie. *Ob es dort eine Möglichkeit für mich gibt, zu telefonieren? Aber wie komme ich ungesehen aus dem Haus, wo die beiden doch den ganzen Tag die Kameras überwachen? Außerdem lässt sich die vordere Tür auch von innen nur mit einem Code öffnen, den ich nicht kenne! Ich komme mir vor, wie eine Gefangene!*

Nach reiflicher Überlegung gelangte sie zu dem Schluss, dass alle elektronischen Hindernisse möglicherweise durch einen Stromausfall hinfällig werden könnten. Sie war zwar Laie auf dem Gebiet, aber dass man ohne Energie sonst in diesem hermetisch abgeschotteten Haus hilflos eingesperrt wäre, leuchtete sogar ihr ein. Die vergitterten Fenster aus schusssicherem Glas waren nämlich ebenfalls keine Option. *Wenn ich also die Sicherung deaktivieren würde ...?*

Den Sicherungskasten fand sie wie erwartet im Keller, und er war nicht verschlossen, wie sie anhand der sonstigen Maßnahmen befürchtet hatte! Hinter der Klappe reihten sich jedoch Dutzende von Sicherungen, welche war für die Tür? Egal, dann würde halt der Hauptschalter dran glauben müssen. Müller und Brandt würden zwar gleich merken, was Sache war, aber sie musste dann eben schneller sein als die beiden und sofort zur Tür rennen, sobald der Strom abgeschaltet war!

Der FI rastete unter dem Druck ihrer Fingerkuppe klackend in die Null-Stellung und gleichzeitig wurde es dunkel um sie herum. *Verdammt!* Daran hatte sie natürlich nicht gedacht! Fenster gab es hier nämlich keine. Während sie vorsichtig die steile Treppe nach oben in Angriff nahm, ging das Licht wie von Zauberhand wieder an! *Das waren kaum zehn Sekunden!*

\* \* \*

*Ein Signal!* Ljudmila wollte gerade das Notebook zuklappen, als ein Pfeil auf dem großräumig eingestellten Satellitenbild auftauchte! Die von ihr eingeräumte Stunde war um und noch länger konnte sie bei einer Tasse Kaffee hier nicht sitzenbleiben, ohne Aufsehen zu erregen. Außerdem würde der Student seinen Computer vermissen und sich vielleicht an die Frau am Nebentisch erinnern. *Aber warum erst jetzt?*, dachte sie und wollte soeben in den Bereich hineinzoomen, der von dem Pfeil markiert wurde, als dieser nach nur wenigen Sekunden genauso überraschend verschwand, wie er zuvor aufgetaucht war.

*Verdammt! Bei dem Maßstab kommt ein Gebiet von mindestens hundert Quadratkilometern in Betracht!* Sie zoomte ohne große Hoffnung in den Bereich hinein, wo der gelbe Pfeil vorhin kurz zu sehen gewesen war. *Irgendwo im östlichen Teil dieses Landkreises*, vermutete sie, denn in den wenigen Sekunden hatte sie den genauen Standort nicht erkennen können.

Beim *FSB* nachzufragen, um den Signalverlauf zu erfahren, würde aus zwei Gründen wenig bringen: Er wurde auf deren Server nicht gespeichert und man würde sie sofort zurückpfeifen, da man sicher von ihrer Festnahme wusste. Und das lag nicht in ihrem Sinne. Außerdem hatte sie ja nicht mal ein Telefon! *Egal, dann muss das eben reichen! Jetzt besorge ich mir einen fahrbaren Untersatz und grase das ganze Gebiet Haus für Haus ab, wenn es nötig ist! Es wäre schließlich das erste Mal, dass die Jägerin versagt!*

\* \* \*

*Hier muss es ein Notstromaggregat geben*, schoss es Petra Unger durch den Unnn. *Das hätte ich mir aber im Grunde auch denken können!* Erst jetzt drang das leise Wummern des Dieselmotors in ihr Bewusstsein, der direkt nach dem Umlegen der Hauptsicherung angesprungen sein musste. Sie war am Ende der Treppe angelangt und wollte voller Enttäuschung über ihre Niederlage die Kellertür öffnen, als diese aufgestoßen wurde und Müller, wie ein Rachegott wütend mit den Augen funkelnd, im Türrahmen erschien. Mit seiner massigen Gestalt füllte er ihn vollständig aus, sodass an ein Vorbeihuschen nicht zu denken war.

»Sie waren das!«, fuhr er sie an. »Zum Glück ist der Diesel sofort angesprungen! Ist Ihnen nicht bewusst, in welche Gefahr Sie uns alle mit Ihrer völlig unüberlegten Aktion gebracht haben? Für etliche Sekunden war dieses Haus komplett ungeschützt, nur der Zaun hätte im Zweifel einen Angreifer für kurze Zeit aufgehalten. Den wir aber nicht hätten kommen sehen, da die Kameras und Bewegungsmelder ebenfalls ausgefallen sind! Dass die Außentüren während dieser Zeit unverschlossen waren, muss ich Ihnen ja hoffentlich nicht erklären, denn das hatten sie beabsichtigt! Was haben Sie sich nur dabei gedacht?«

Die Gescholtene brach unvermittelt in Tränen aus. Viel zu lange schon hatte sie das alles in sich hineingefressen. »Ich … Ich wollte doch nur meinen Mann anrufen«, schniefte sie. »Er kommt übermorgen nach Hause und weiß überhaupt nicht Bescheid!«

Wolfgang Müller wurde jetzt von hinten resolut an die Schulter gefasst und von einer im Verhältnis zu seinen Pranken kleinen Hand nachdrücklich fortgezogen. »Meine Kollegen kümmern sich darum, Frau Unger!«, sagte Jasmin Brandt ungewöhnlich sanft. Sie war hinter dem breiten Rücken Müllers vorher nicht zu sehen gewesen. »Das sind Profis. Ihrem Mann wird nichts passieren, vertrauen Sie uns! Mein Kollege hat aber recht, Sie haben uns in große Gefahr gebracht!«

Sie waren währenddessen in der Küche angelangt und Jasmin bat sie mit einer Geste, sich zu ihr und Wolfgang zu setzen. »Wir haben aber ebenfalls Fehler gemacht, weil wir Sie so lange sich selbst überlassen haben«, räumte sie ein. Sie warf Wolfgang einen Blick zu, den dieser mit einem Schulterzucken quittierte. Sicherheit geht nun mal vor, sollte das heißen.

»Ich denke, wir sollten jetzt unseren Tagesablauf den Gegebenheiten anpassen«, fuhr sie dennoch unbeirrt fort. »Wir sind den dritten Tag in diesem Haus und es wird immer unwahrscheinlicher, dass man uns aufspüren wird. Es hat daher auch keinen Sinn mehr, die Kameras ständig zu kontrollieren, wir werden uns also ab sofort allein auf die Bewegungsmelder verlassen und stattdessen mehr Zeit miteinander verbringen.

Wäre das eine Alternative für Sie? Wer weiß, vielleicht sind Sie zum Wochenende schon wieder zu Hause!«

Die letzte Bemerkung entsprang reinem Wunschdenken und war vornehmlich nur dazu gedacht, die aufgelöste Frau zu beruhigen, da sie in ihrem jetzigen Zustand ein Sicherheitsrisiko darstellte. Nichtsdestoweniger hoffte Jasmin, Recht zu behalten. Sie bewunderte im Stillen die stoische Ruhe Wolfgangs, doch er war solche Situationen als ausgebildeter Personenschützer sicherlich gewohnt, wenngleich er früher ebenfalls Polizist war. Und das war gerade mal ein Jahr her, andererseits legte man das nicht einfach ab wie eine abgetragene Jacke!

Sie schaute wieder zu ihm, und er hob erneut die breiten Schultern. »Wir sind im Grunde zu wenige«, brummte er unzufrieden. »Und streng genommen habe ich als Privatmann ohnehin keine Befugnisse, das zu entscheiden. Da ich offiziell als Ihr Personenschützer angestellt bin, sind Sie der Boss«, wandte er sich an Petra Unger. »Sagen Sie uns, was wir machen sollen. Allerdings steht das Verlassen dieses Hauses nicht zur Debatte und über notwendige Maßnahmen wird ebenfalls nicht diskutiert!«

»Ich wollte nichts durcheinanderbringen«, gab sie kleinlaut zurück. »Ich weiß Ihre Fürsorge durchaus zu schätzen, glauben Sie mir! Ich mache mir eben Sorgen um meinen Mann, aber wenn Sie sagen, dass man sich um ihn kümmert, will ich fürs Erste damit zufrieden sein. Verfahren Sie also weiterhin, wie Sie es für richtig halten. Ich stelle jetzt bestimmt keinen Unfug mehr an! Ich dachte aber auch, dass der Zaun unter Strom stünde!«

»Einmal davon abgesehen, dass der dann ebenfalls abgeschaltet gewesen wäre, ist das ohnehin nicht der Fall«, gab Müller zurück. »Stromführende Zäune sind in Deutschland nur zur Tierabwehr erlaubt, und in reinen Wohngebieten überhaupt nicht zulässig. Eine derart zielstrebige Attentäterin wie unsere Gegnerin würde sich von einem solchen Niedervolt-Zaun wohl auch kaum wirksam abschrecken lassen. Wir müssen also weiterhin extrem wachsam sein, und Sie werden dieses Haus nicht verlassen, ob Ihnen das nun gefällt oder nicht!«

\* \* \*

Das Glück blieb der Jägerin weiter treu. Schön, bei der Ortung ihrer Zielperson hatte es offenbar eine kleine Pause eingelegt, aber immerhin hatte sie einen ungefähren Anhaltspunkt. Ljudmila hatte schon mit weniger Informationen Erfolg!

Jetzt hatte sie in einem Parkhaus am Bahnhof die oben auf dem Dach befindlichen Plätze für Langzeitparker inspiziert und einen geländegängigen Wagen gefunden. Die Wahrscheinlichkeit war hier besonders groß, dass sein Besitzer mit dem Zug unterwegs war und so bald nicht wiederkehren und den Verlust bemerken würde. Der kleine Suzuki Jeep war vollgetankt und wies zudem eine Tasche mit Werkzeugen im Kofferraum auf. Akkuschrauber, Bolzenschneider, Bohrmaschine und einiges mehr würde sie vielleicht später noch gut brauchen können!

Das gestohlene Fahrzeug war glücklicherweise ein älteres Modell ohne elektronische Wegfahrsperre und hatte ihren Bemühungen nicht sehr viel entgegenzusetzen gehabt. Nur wenige Minuten später stand sie vor der Schranke an der Ausfahrt des Parkhauses. Um diese zu überwinden, hatte sie sich vorher ein Ticket gezogen und es gleich entwertet. Die Intelligenz von automatischen Schranken war eben nicht unbedingt die Größte!

Die Jägerin machte sich unverzüglich auf den Weg. Ihrer Schätzung gemäß hatte sie ein Planquadrat von zehn bis fünfzehn Kilometern Kantenlänge abzusuchen, was sie mehrere Tage kosten würde. Die Suche auf abgelegene Gebiete zu beschränken, wäre grob fahrlässig, da es nicht gesagt war, dass man sich in der Wildnis verkrochen hatte. Oft war man im dichtesten Gewühl sicherer, was ihre eigene Aktion in der Fußgängerzone gerade erst gezeigt hatte. Andererseits war der Hubschrauber, mit dem ihre Zielperson geflohen war, ein nicht eben unauffälliges Verkehrsmittel. Diesen zu finden, dürfte ihre vordringlichste Aufgabe sein.

Ganz am Rande ihres mutmaßlichen Suchgebietes hatte sie eine freie Stelle von der ungefähren Größe eines halben Fußballfeldes entdeckt, die rundherum von Bäumen umgeben war. Eine große Lichtung oder zumindest ein baumfreier Bereich abseits der – wie in dieser Gegend üblich – äußerst spärlichen Wohnbebauung und in den Ausläufern eines Waldes gelegen. Ausreichend, einen Hubschrauber zu landen und vor neugierigen Augen zu verbergen. Dort würde sie mit ihrer Suche beginnen.

Sollte sie das Fluggerät, dessen Kennung sie sich gemerkt hatte, tatsächlich dort finden, wäre es nicht weiter schwer, den Verbleib der Passagiere herauszufinden, denn es gab lediglich eine begrenzte Anzahl von Möglichkeiten, von dort ein höchstwahrscheinlich ganz in der Nähe befindliches Versteck zu erreichen. Da kamen nur Mietwagen oder Taxis infrage. Sie musste sich wohl auf ihren Instinkt verlassen, der ihr helfen würde, an Ort und Stelle die Spur wieder aufzunehmen.

Zudem war es nicht völlig ausgeschlossen, dass sie irgendwann erneut ein Signal bekommen würde. Das Notebook hatte noch für einige Stunden Strom und alles, was sie benötigte, war ein öffentliches WLAN und sowas gab es heutzutage an fast jeder Tankstelle oder in Supermärkten! Sie trat entschlossen auf das Gaspedal des gestohlenen Suzuki. Bis zu ihrem Zielgebiet waren es nur wenig mehr als vierzig Kilometer über Bundes- und Landstraßen, sie würde es in einer Stunde erreicht haben.

\* \* \*

Vanessa und Erik hatten erneut in der Sitzecke im Empfangsbereich der Firma Eschbach Platz nehmen müssen, und wie am Tag zuvor hatte man sie auch heute wieder warten lassen. Eine Stunde waren sie jetzt hier und die Kommissarin argwöhnte, dass man sie mit Absicht so lange hier sitzen ließ. Es war nicht ungewöhnlich, dass solche Leute glaubten, aufgrund ihres enormen Reichtums Macht über alles und jeden zu haben, und gerade Staatsbediensteten gegenüber einen gewissen Hochmut an den Tag legten.

Erik hatte sich die Wartezeit mit einem Videospiel vertrieben, das er auf sein privates Handy heruntergeladen hatte, und Vanessa überlegte bestimmt nicht zum ersten Mal, ob es eine so gute Idee gewesen war, sich hier sinnlos den Tag um die Ohren zu schlagen.

Im Grunde hatten sie bereits erfahren, weswegen sie hier waren, denn die ›Empfangsdame‹ entpuppte sich als Ehefrau des derzeitigen Firmenchefs, als die Sprache auf weitere Familienmitglieder in der Firma kam. Sie sei für die Buchhaltung zuständig und die Schwester sei die Assistentin von Markus, erklärte sie ihnen bereitwillig. Die beiden Brüder seien zwar auch in der Firma tätig, aber – welch eine Überraschung – momentan nicht zu sprechen.

*Im Kommissariat wartet jetzt der festgenommene Tatverdächtige auf seine Vernehmung, dachte sie* und ihr fiel siedend heiß ein, dass sie Tobias weder über die Festnahme noch über ihren Abstecher informiert hatte! *Er wird sich ganz schön wundern, wenn die Polizisten Stumpf bei ihm abliefern!* Wie auf Bestellung vibrierte ihr auf Lautlos gestelltes Handy. *Der Chef!*

»Wo bleibt ihr?«, tönte seine aufgebrachte Stimme aus dem Ohrstöpsel ihrer Freisprecheinrichtung. »Ich habe soeben ein Paket geliefert bekommen und fände es gut, wenn ich dazu Informationen erhielte!«

Sie klärte ihn kurz über den Grund der Festnahme von Karl-Heinz Stumpf auf. »Wir sind in der Firma von Eschbach«, beichtete sie ihm dann. »Ich dachte, wo es noch so früh ist, wäre es eine gute Idee, sich ein wenig über die Familienverhältnisse zu informieren. Markus Eschbach hat drei Geschwister, die alle einen Posten in der Firma haben und somit ein Motiv!«

»Das ergibt jetzt wohl keinen Sinn mehr«, widersprach der Vorgesetzte ihr verstimmt. »Mit der Festnahme von Stumpf ist die Familie Eschbach für uns uninteressant geworden! Ich hingegen würde gerne heute noch eine Vernehmung durchführen, und dazu brauche ich dich, weil sonst niemand mehr hier ist! Schwing dich ins Auto und komm sofort hierher!«

# Kapitel 9

*Ein schneller Ermittlungserfolg*

»Es sah anfangs zwar ganz und gar nicht so aus, aber wir haben entgegen den widrigen Umständen in Rekordzeit diesen merkwürdigen Fall gelöst«, freute sich Tobias Heller. Da sie nur zu dritt waren, Martin und Jonas waren in die Rechtsmedizin zur Obduktion von Oliver Maier gefahren, hätte diese Besprechung ebenso am Arbeitsplatz von Vanessa Fuchs oder in seinem Büro stattfinden können. Doch nur hier gab es mit den Konsolen an allen Plätzen eine zentrale Möglichkeit, sämtliche Ermittlungsergebnisse auf einen Blick einsehen zu können.

»Da wir dank eurer hervorragenden Ermittlungsarbeit nicht nur den Täter in Gewahrsam haben, sondern auch ein vollständiges Geständnis, ist das Ergebnis der Leichenschau eigentlich nicht mehr von besonders großem Interesse«, fuhr er fort. »Doch ihr wisst ja, dass unsere allseits beliebte Rechtsmedizinerin jedes Mal einen Wutanfall bekommt, wenn sie das Gefühl hat, nicht ernstgenommen zu werden. Deshalb habe ich Jonas und Martin trotzdem vorsorglich dorthin geschickt, außerdem macht sich so ein Autopsiebericht immer gut in den Akten!«

»Wir hatten bloß Glück, Chef!«, winkte Vanessa bescheiden ab. »Ohne den Zeugen Köhler hätten wir das bestimmt nicht so schnell herausbekommen und für das Kennzeichen brauchten wir nicht mal Jasmin, sondern nur Erik und seinen besonderen ›Draht‹ zu einer gewissen IT-Spezialistin«, grinste sie mit einem Seitenblick zu dem jungen Kollegen, der verlegen die Augen niederschlug. »Den Zusammenhang mit Maier herauszufinden, war ebenfalls nur eine reine Fleißarbeit und seinen Namen erfuhren wir eher zufällig!«

»Zufall ist das selten«, widersprach Tobias. »Auch wenn es manchmal so aussieht, sind die ›zufällig‹ erhaltenen Informationen fast immer das Ergebnis vorheriger Ermittlungen! Hättet ihr Eschbach Junior nicht so unter Druck gesetzt, wäre uns die Identität des Friedhofsopfers wahrscheinlich noch unbekannt. Und der Zeuge Köhler kam zu mir, nachdem er den Artikel im *Rhein-Sieg-Echo* gelesen hatte. So gesehen, müssen wir dieser Reporterin sogar dankbar sein! Lasst uns nun noch einmal alles durchgehen, um völlig sicher zu sein, nichts Wichtiges übersehen zu haben. Wenn alles in trockenen Tüchern ist, werde ich bei Staatsanwalt Stein einen Haftbefehl beantragen, damit wir Stumpf über die bekannten vierundzwanzig Stunden hinaus hierbehalten können. Beginnen wir mit dem Geständnis und den Fakten, die es untermauern.«

\* \* \*

*Am Tag zuvor, 16:14 Uhr*

Am Vernehmungstisch in einem durch Stellwände abgetrennten Bereich des Großraumbüros saß ihnen ein sehr kleinlauter Karl-Heinz Stumpf gegenüber. Er wirkte fahrig, von seinem überheblichen Auftreten noch vor wenigen Stunden war nichts geblieben. Das

Verhör des Tatverdächtigen wurde von Vanessa und Tobias durchgeführt.

Erik hatte sich auf Anweisung des SOKO-Chefs dazugesellt und saß neben Vanessa mit am Tisch. Er sollte etwas lernen und das konnte er natürlich am besten, wenn er seinen Kollegen ›über die Schulter‹ schaute. Vernehmungen waren nämlich alles andere als bloße Befragungen, es gehörte im Gegenteil sehr viel Fingerspitzengefühl dazu, die richtigen Fragen zur rechten Zeit zu stellen und dem Tatverdächtigen auf diese Weise Informationen zu entlocken.

Jonas und Martin waren noch unterwegs, um das Alibi von Markus Eschbach zu überprüfen, obwohl dies nach Lage der Dinge nicht mehr notwendig zu sein schien. Doch auch das gehörte zur Ermittlungsarbeit, denn falls sich die Festnahme des Tatverdächtigen im Nachhinein als Irrtum herausstellen würde, wäre diese Gelegenheit vertan und der Anwalt eines tatsächlichen Täters, sollten sie seiner später habhaft werden, würde sie vor Gericht förmlich auseinandernehmen.

»Herr Stumpf, Sie werden beschuldigt, den Ihnen bestens bekannten Enthüllungsjournalisten Oliver Maier vorsätzlich getötet zu haben. Wir haben ausreichende Belege dafür, dass Sie sowohl ein Motiv als auch die Gelegenheit dazu hatten«, begann Vanessa, nachdem Tobias ihr ermunternd zugenickt hatte. Sie hatte die Festnahme des Verdächtigen durchgeführt und die belastenden Beweise gesichert, dann sollte sie auch seine Vernehmung leiten. Das hatte sie sich redlich verdient.

»Sie haben ausdrücklich auf einen Rechtsanwalt verzichtet«, wiederholte sie für das Tonprotokoll, das bei Befragungen dieser Art zwingend vorgeschrieben war. »Bleiben Sie dabei, oder wünschen sie jetzt doch einen rechtlichen Beistand? Sollten Sie sich keinen Anwalt leisten können, wird Ihnen vom Gericht ein Pflichtverteidiger zugeteilt.«

»Ich verzichte«, schüttelte Stumpf den Kopf. »So einen Rechtsverdreher kann ich nämlich überhaupt nicht bezahlen, woran dieser Kerl, dessen Tod Sie mir anlasten, nicht ganz unschuldig ist. Dennoch muss hier ein Irrtum vorliegen. Ich habe Maier nicht umgebracht!«

»Womit wir schon bei Punkt eins unserer Tagesordnung angelangt wären«, bemerkte die Kommissarin launig. »Oliver Maier veröffentlichte vor zwei Jahren einen Artikel, worin er Sie unter anderem beschuldigte, in Ihrem Betrieb Schwarzarbeiter zu beschäftigen und Ihre Stellung als Stadtverordneter dazu zu missbrauchten, sich Vorteile bei der Vergabe von Baumaßnahmen zu verschaffen. In der logischen Folge sprangen Ihre Kunden reihenweise ab und Sie mussten Konkurs anmelden. Alles, was Ihnen blieb, war dieser Kiosk. Sowas nenne ich ein Motiv!«

»Und wenn schon!«, knurrte Stumpf. »Damit kann ich mich höchstens hinten anstellen. Es gibt sicher haufenweise Leute, die dem Mistkerl die Pest an den Leib wünschen!«

»Aber niemand, dessen Schuhabdrücke am Grab des Herrn Eschbach hinterlassen wurden«, trumpfte Vanessa auf, während sie neben sich griff und einen Spurensicherungsbeutel auf den Tisch hievte. »Oder wollen Sie jetzt ernsthaft leugnen, dass diese Schuhe Ihnen gehören? Wir haben Sie in Ihrem Beisein aus

Ihrem Schuhschrank geholt! Nicht zu vergessen, dass Ihr Auto, das Sie angeblich nur zur Inspektion in die Werkstatt brachten, kaum zu übersehende Spuren eines Unfalls an der Kühlerhaube aufweist! Unsere Forensiker nehmen es momentan unter die Lupe, ich kann Ihnen aber jetzt schon sagen, dass sie im Kofferraum Blut und DNA gefunden haben. Was glauben Sie, was eine genetische Analyse ergeben wird?«

»Wir haben zudem einen glaubwürdigen Zeugen, der Ihren Wagen am Friedhof gesehen hat«, ergriff Tobias jetzt wieder das Wort. »Dort, wo Sie die Leiche verschwinden lassen wollten. Dass Sie das Grab Ihres schärfsten Konkurrenten aussuchten, ist ebenfalls kein Zufall, nicht wahr? Hatte Antonius Eschbach nicht einen erheblichen Anteil an Ihrem geschäftlichen Niedergang, indem er die wenigen verbliebenen Kunden abwarb und Sie damit endgültig in den Ruin trieb?« Diese letzte Information hatte Erik vor einer Stunde beigesteuert, wofür er ein dickes Lob eingeheimst hatte.

»Wir können demnach lückenlos beweisen, dass seine Leiche in Ihrem Wagen transportiert wurde«, übernahm Vanessa erneut die Beweisführung. »Und wir können außerdem anhand von zwei Zeugen und nicht zuletzt durch die Sohlenabdrücke belegen, dass Sie persönlich sie in das offene Grab geworfen haben. Erleichtern Sie Ihr Gewissen und gestehen Sie!«

Karl-Heinz Stumpf war im Zuge der wechselseitig vorgetragenen Vorhaltungen in sich zusammengesunken und schien nunmehr den Tränen nahe. »Ich hab das doch nicht gewollt!«, brach es nach endlosen Sekunden des Schweigens aus ihm heraus. »Der Kerl ist mir einfach so vor das Auto gelaufen! Ich habe erst gesehen, wer das war, als ich ausgestiegen bin, um nachzuschauen, was das für eine Kollision an meiner Kühlerhaube war. Er lag leblos vor mir auf der Straße und war tot!«

»Demnach haben Sie den eigentlichen Zusammenstoß gar nicht mitbekommen?«, hakte Tobias nach. Das wäre für die Einschätzung, ob ein Vorsatz vorlag, von großer Bedeutung. Es war ohnehin fraglich, ob man ihm eine geplante Tat nachweisen konnte. Man musste erst die Ergebnisse der forensischen Untersuchung abwarten. Im Zweifel war es gar kein Mord, sondern im allerhöchsten Fall Totschlag, doch das wiederum war Sache des Gerichts.

»Ich … Ich war abgelenkt, weil mir was heruntergefallen war«, schüttelte Stumpf traurig den Kopf. »Außerdem hatte ich Alkohol getrunken, sonst wäre das nicht passiert. Ich konnte doch nicht ahnen, dass dieser Kerl mitten in der Nacht da herumläuft. Sicher hatte er wieder was zu spionieren! Wenn das herausgekommen wäre, dass ich betrunken gefahren bin und einen überfahren habe, wäre ich endgültig erledigt. Was sollte ich denn machen?«

»Und dann hatten Sie nichts Besseres zu tun, als zusätzlich noch eine Grabschändung zu begehen?«, hielt Tobias ihm mit hochgezogenen Augenbrauen vor. »Es wäre im Gegenteil Ihre Pflicht gewesen, die Polizei zu rufen, oder wenigstens einen Rettungswagen. Einem Laien ist es nicht gestattet, den Tod eines Menschen zu attestieren, das muss ein Arzt tun! Was, wenn der Mann noch gelebt hat? Er hätte eventuell gerettet werden können, haben Sie darüber mal nachgedacht?«

»Sie haben ihn nicht gesehen, wie er da auf dem Asphalt lag! Der war tot, glauben Sie mir!«, rechtfertigte sich der Gescholtene. »Ich weiß auch nicht, was dann über mich gekommen ist. Wir hatten uns beim Bier und ein paar Schnäpsen über die Beerdigung und den miesen Charakter von Eschbach unterhalten. In meinem Zustand hielt ich es eben für eine ganz tolle Idee, den Kerl in die offene Grube zu werfen, von der ich wusste. Ich war nämlich dort vorbeigefahren, als der Totengräber gerade mit dem Aushub angefangen hatte. Dann wären die beiden Verbrecher zusammen, dachte ich. So wie es sich gehört.«

\* \* \*

»Also, ich kann keine Fehler oder Ungereimtheiten erkennen«, resümierte Tobias Heller, nachdem der letzte Ton der Sprachaufzeichnung verklungen war. Wie alles andere, was mit dem aktuellen Fall zu tun hatte, war auch sie in der Wissensdatenbank, von ihrem Erfinder liebevoll ›Denkbrett‹ genannt, abgespeichert und von jedem Platz aus abrufbar.

»Unsere Beweisführung war in sämtlichen Teilen absolut schlüssig und sein Geständnis widerspricht in den wesentlichen Inhalten nicht den bekannten Tatsachen. Außerdem hatte Frau Doktor de Luca ja bereits angedeutet, dass Maier durchaus bei einem Verkehrsunfall ums Leben gekommen sein könnte. Sobald Martin und Jonas aus Bonn zurückgekehrt sind, wissen wir mehr. Die Überprüfung von Markus Eschbachs Alibi hat zwar kein eindeutiges Ergebnis gebracht, doch wäre die Zeit nach Aussagen seiner Skatfreunde sehr knapp gewesen. Zudem haben wir ja ein Geständnis. Gehen wir daher noch einmal die Fakten durch. Es hat sich zumindest bei der Spurenlage seit gestern einiges getan!«

»Richtig«, hakte Vanessa Fuchs an dieser Stelle ein. Es mochte zwar für einen Außenstehenden ermüdend wirken, dass bekannte Tatsachen immer wieder durchgekaut wurden, jedoch waren ›Brainstormings‹ bei ihrem Chef sehr beliebt, denn es konnten so unter Umständen frühzeitig Fehler aufgedeckt werden, die später unübersehbare Folgen haben würden.

»So hat die Forensik den von Karl-Heinz Stumpf eingeräumten Unfall mittlerweile in vollem Umfang bestätigt«, fuhr sie fort. Diese Information hatte sie erst vorhin von der neuen Spezialistin in Vogels Team erhalten. »Rieke konnte Fasern aus Oliver Maiers Kleidung und auch Blut an der Kühlerhaube seines Autos nachweisen, wie ihr wisst. Auch im Kofferraum. Eine DNA-Analyse steht zwar noch aus, jedoch ist die Blutgruppe schon mal identisch. Die Übereinstimmung der Sohlenabdrücke hatten wir bereits bewiesen, sie belegen eindeutig seine Anwesenheit am Grab *nach* dem Aushub. Und die unterschiedliche Prägung hatte Rieke ja schon damit erklärt, dass er etwas Schweres getragen haben musste. Etwas mit dem Gewicht des Opfers!«

»Ich bin mir sicher, dass die Analyse eine Übereinstimmung ergeben wird«, nickte Tobias. »Ich habe mit dem Wirt der Dorfschänke und den drei Skatbrüdern gesprochen. Alle vier bestätigen die Zeiten, die der Tatverdächtige uns gestern im Verhör genannt hatte. Gemeinsam mit den Aussagen der Zeugen, die in dieser Nacht ihn oder zumindest eine männliche Person vor dem Friedhof und später am Grab gesehen haben, ergibt sich für mich ein schlüssiges Bild: Für den **Tod** dieses Journalisten kommt niemand anderer **als** Stumpf in Betracht!«

»Wetten würde ich da an deiner Stelle aber nicht drauf, Chef!«, ertönte eine bekannte kratzige Stimme vom Eingang her. Die Köpfe der Anwesenden ruckten sofort zu Martin Weber herum, der mit Jonas Faber im Gefolge breit grinsend den Raum betrat. Natürlich wussten die beiden von der gestrigen Vernehmung und deren Resultat und hatten den letzten Satz ihres Vorgesetzten noch mitbekommen. »Nach allem, was wir vorhin von Frau Doktor de Luca erfahren haben, kann es sich nämlich so nicht abgespielt haben!«

\* \* \*

*Rechtsmedizin, eine halbe Stunde zuvor*

Dr. Martina de Luca wandte sich den Ermittlern zu, während eine Studentin die Leiche in die Kühlkammer zurückschob und den Sektionstisch für die nächste Leichenschau vorbereitete. Die Pathologin machte einen erschöpften Eindruck, obwohl es sich um die erste Autopsie des Tages handelte. Offenbar hatte sie es eilig, denn sie streifte nur fahrig die OP-Handschuhe ab, ließ jedoch Kopfhaube und Mundschutz aufgesetzt. Ihn zog sie auf das Kinn herunter, um sprechen zu können. Die Handschuhe entsorgte sie beiläufig in einen bereitstehenden Behälter.

»Ich muss mich heute kurzfassen«, hob sie bedauernd die schmalen Schultern. »Bei diesen Temperaturen fallen die Menschen um wie die Fliegen. Und Sie wissen selbst, dass die Staatsanwaltschaft gerne bei jungen Leuten ohne Vorerkrankungen Autopsien anordnet, um die Todesursache zu klären. Ich habe also heute noch ein strammes Pensum zu erledigen!«

»Ich weiß, was Sie meinen«, nickte Martin Weber verständnisvoll. »Ich habe Sie bisher nicht um Ihren Beruf beneidet. Heute neige ich dazu, meine Meinung zu ändern, hier unten ist es wenigstens angenehm kühl!« Die letzte Nacht war mit Temperaturen von über fünfundzwanzig Grad die Heißeste des Jahres gewesen und jetzt, kurz nach 10:00 Uhr, hätte man auf den Kühlerhauben der Autos locker Spiegeleier braten können. Und Kollege Jonas Faber lief doch tatsächlich auch heute im Anzug herum!

»Mein bereits bei Ihrem letzten Besuch geäußerter Verdacht, dass der Körper des Mannes zum Zeitpunkt des Todes einer starken stumpfen Gewalteinwirkung ausgesetzt war, hat sich im Zuge der Autopsie bestätigt«, ignorierte sie in ihrer gestelzten Sprechweise seinen erfolglosen Versuch, die Stimmung zu heben. In einem Raum voller tiefgekühlter Leichen war das ohnehin wenig angebracht. »Anhand großflächiger Hämatome sowie Umfang der äußeren und inneren Verletzungen tendiere ich, wie bereits angedeutet, zu einem Autounfall.«

»Dann liegt also gar kein Verbrechen vor?«, wagte Jonas eine Zwischenfrage, weil die Pathologin eine ihrer beliebten Kunstpausen einlegte und die beiden Ermittler stattdessen herausfordernd ansah.

»Das bezweifle ich!«, lächelte sie schmallippig. »Sie werden es auf den Fotos, die ich meinem Bericht wie immer beilegen werde, sehen können: Die angesprochenen Blutergüsse sind entsprechend der Natur des ›Tatwerkzeuges‹ groß, jedoch nicht sonderlich ausgeprägt. Und das wiederum bedeutet, dass das Herz des Mannes zu diesem Zeitpunkt sehr schwach oder gar nicht mehr schlug, wodurch die Einblutungen gering waren! Andererseits sind die durch den Zusammenprall erlittenen Verletzungen schwerwiegend, hätten jedoch nicht sofort zum Tode geführt. Bei zeitnaher medizinischer Versorgung hätte man ihn vermutlich sogar retten können.«

»Ich entnehme Ihren Ausführungen, dass ihm *vor* dem Unfall etwas zugestoßen ist, das die eigentliche Todesursache war«, schlussfolgerte Martin, was ihm einen anerkennenden Blick einbrachte. Dabei war das im Grunde naheliegend. Zumindest, wenn man mit den Eigenarten der Pathologin vertraut war.

»Sie vermuten vollkommen richtig, Herr Weber«, stimmte sie ihm zu. »Und wenn ich *vorher* sage, dann meine ich *unmittelbar* davor. Und zwar bestenfalls fünf Minuten, wahrscheinlich weniger! Er hätte auch ohne diesen Unfall nur noch wenige Augenblicke zu leben gehabt!«

»Okay, dann haben wir zumindest schon mal die Todeszeit«, sah Jonas zuerst die praktische Seite. »Da wir den Zeitpunkt des Unfalls mittlerweile auf eine halbe Stunde genau eingrenzen können, wissen wir das nun aufgrund Ihrer Ausführungen mit derselben Präzision! Aber sagen Sie uns doch bitte jetzt, *woran* er denn tatsächlich gestorben ist!«

»Durch ein hochwirksames, tödliches Nervengift«, kam sie erfreulicherweise direkt auf den Punkt. Man musste sich ohnehin wundern, dass sie bisher derart herumgeeiert war, wo sie eigenen Angaben zufolge doch keine Zeit hatte! »Man kann es ohne besondere medizinische Kenntnisse aus dem blauen Eisenhut gewinnen, der sogar in manchen heimischen Gärten zu finden ist. Fakt ist, dass ich das Gift in einer Menge im Körper nachweisen konnte, die einen Elefanten umgehauen hätte! Es wurde ihm mit einer Spritze in den Nacken injiziert, womöglich hat er also seinen Mörder nicht einmal kommen sehen! Da dieses Gift bei einer so hohen Konzentration innerhalb von zwei bis vier Minuten Atemlähmung und Herzstillstand verursacht und unmittelbar zum Tode führt, muss es ihm kurz vor dem Unfall verabreicht worden sein.«

»Dann ist der Fahrer des Unfallautos also nicht der Täter!«, stellte Martin Weber fest. »Schade, das wirft uns wieder weit zurück, wir hatten nämlich bereits einen Verdächtigen! Unser Chef wird darüber ganz und gar nicht amüsiert sein!«

»Nun, das eine schließt das andere ja nicht aus«, versetzte Martina de Luca trocken. »Aber vielleicht heitert ihn das etwas auf: Ich konnte an der Einstichstelle eine winzige Menge Fremd-DNA sicherstellen. Denkbar wäre es, dass sich der Täter oder die Täterin vor Befüllen der Spritze an der Nadel verletzte. Leider ist die genetische Information durch den Kontakt mit Motoröl aus dem Unfallfahrzeug stark kontaminiert worden. Ich hoffe, dass man im Humangenetischen Institut wenigstens noch einige Sequenzen der DNA retten kann.«

\* \* \*

Tobias, Vanessa und Erik hatten Martins Bericht mit Unbehagen zur Kenntnis genommen. Was war denn das? Da passte überhaupt nichts zusammen! »Falls die

Pathologin recht hat, und daran zweifle ich nicht eine Sekunde«, brachte der SOKO-Chef es auf den Punkt, »brauche ich den Haftbefehl gar nicht erst zu beantragen. Stein wirft mich achtkantig aus seinem Büro, wenn ich ihm damit komme! Leute, ich sage es ja wirklich nicht gerne, doch wir haben sehr wahrscheinlich den Falschen eingebuchtet!«

»Aber wir haben ein Geständnis und DNA und Blut von Oliver Maier an der Kühlerhaube und im Kofferraum seines Wagens«, wandte Erik aufgeregt ein. Er wollte das Offenkundige nicht akzeptieren, wo sie so nahe an der Lösung gewesen waren! »Und er wurde zudem gesehen, wie er die Leiche verscharrte!«

»Ich kann deine Aufregung verstehen«, lächelte Tobias milde über den Ausbruch des jungen Kollegen. Was hatte er selbst alles an Misserfolgen und Sackgassen in seinem Berufsleben hinnehmen müssen! »Doch wir dürfen die Augen nicht vor den Tatsachen verschließen! Der unglückliche Stadtverordnete hat diesen Unfall verursacht, das steht außer Frage! Fahrlässig und unter Alkoholeinfluss, dafür wird er sich gesondert zu verantworten haben. Aber wie es jetzt aussieht, hat er einen Sterbenden überfahren, der wirkliche Mörder läuft also immer noch frei herum! Um ihn zu fassen, müssen wir das Unfallgeschehen mit den heutigen Erkenntnissen der Rechtsmedizin in Einklang bringen, denn darin liegt die Lösung!«

»Das Zeitfenster!«, erkannte Jonas Faber sofort den Hauptansatzpunkt. »Wenn das Nervengift nach vier bis fünf Minuten zum Tod führt und Maier sozusagen vor dem heranrasenden Wagen sterbend zusammenbrach, haben wir einen Radius, innerhalb dessen der Giftanschlag verübt worden sein muss!«

»Richtig!«, nickte Tobias. »Jetzt ist noch die Frage zu klären, wie weit man in diesem Zustand laufen, oder besser gesagt, stolpern kann. Hundert Meter? Oder eher fünfzig? Ich denke, die Wahrheit wird eher darunter liegen. Sagen wir, es waren zwanzig Meter. Außerdem wissen wir ja nicht, *wo* der Giftanschlag stattfand. War es in einem Gebäude? Oder auf offener Straße? All das ist für die Wahrheitsfindung wichtig, aber vor allem fehlt uns jetzt wieder ein Motiv!«

»Warum denn so kompliziert denken?«, brummte Martin Weber. »Für mich ist es am plausibelsten, dass es sich folgendermaßen abgespielt hat: Oliver Stumpf ist bei jemandem zu Besuch, der oder die ihm hinterhältig eine Giftspritze verabreicht. Und was tut man in einer solchen Situation? Bedenken wir, dass dieses Nervengift eine sofortige Atemlähmung hervorruft! Man versucht also, nach draußen an die frische Luft zu gelangen, weshalb man das Weite sucht. Deshalb kann die Wohnung, in der er überfallen wurde, auch nicht in einem oberen Stockwerk gewesen sein, denn mehr als zwei Treppen hätte er in seinem Zustand sicher nicht mehr geschafft! Endlich draußen, stolpert er mit letzter Kraft auf die Straße, direkt vor das Auto von Karl-Heinz Stumpf! Mit anderen Worten: Wissen wir, wo dieser zu dem Zeitpunkt war, haben wir auch den Tatort!«

»Und genau darin liegt unser Problem!«, wandte Vanessa ein. »Stumpf weiß nämlich nicht mal ansatzweise, wo das gewesen sein könnte, da er ziemlich betrunken war! Fest steht nur, dass er den Wagen auf dem Marktplatz direkt vor der ›Dorfschänke‹ geparkt hatte, das haben seine Freunde und der Wirt übereinstimmend ausgesagt. Stumpf wohnt zwei Kilometer von der Kneipe entfernt. Er kann von dort zwei Wege genommen haben, nämlich die Larstraße hinauf oder einmal um den Marktplatz und über die Meindorfer Straße, was die Strecke noch mal verlängert. Gehen wir davon aus, dass der Unfall in der Nähe des Friedhofs stattfand, was irgendwie naheliegt. Dann bleibt je nachdem, ob er näher an der Kneipe oder an seiner Wohnung war, immer noch ein Kilometer übrig, und zwar auf verschiedene Straßen verteilt. Den Unfallort finden wir nie!«

»Wir wurden es dennoch versuchen!«, ging Tobias dazwischen. »Ich habe da mal etwas vorbereitet. Ich konnte zwar vor dem Bericht aus der Pathologie nicht wissen, dass wir diesen Ort suchen müssen, aber ich hielt es trotzdem für eine gute Idee, den Weg, den der Verdächtige in der Nacht genommen haben könnte, zu skizzieren.« Er rief eine Grafik auf seinem Bildschirm auf, die er für die anderen freigab. Es war der Ausschnitt einer Straßenkarte, worauf er einige Wege farblich markiert hatte. »Wir sehen hier ein Gebiet von gut einem Quadratkilometer Fläche«, erläuterte er. »Theoretisch kann Stumpf jeden Weg in dem Planquadrat genommen haben, doch der Mensch ist ein Gewohnheitstier, deshalb werden wir vorerst die gelb markierten Straßen außer Acht lassen.«

»Sollen wir da etwa jeden Quadratzentimeter nach Blut absuchen?«, argwöhnte Jonas. »Damit wären wir ja ewig beschäftigt, wobei der Erfolg höchst fraglich ist!«

»Dafür ist sowieso die Forensik zuständig«, beruhigte Tobias ihn. »Außerdem müssten wir dazu das *Luminol* hektoliterweise versprühen. Jürgen wird mir zu Recht einen Vogel zeigen, wenn er am Montag aus seinem Urlaub wiederkommt«, kalauerte er mit dem Nachnamen des Forensikers. »Wir hingegen werden diesen Ort auf unsere bewährte Weise einzukreisen versuchen. Maier wohnte in Köln, was machte er also zu dieser Stunde dort, wo er überfahren wurde? Wir werden uns erneut mit seinem Leben beschäftigen. Was waren seine Lieblingsfilme, wer war sein Lieblingsitaliener, Reisegewohnheiten, eben einfach alles! Irgendwo in diesem ganzen Wust an Informationen *muss* es einen Zusammenhang mit der Person geben, die ihn getötet hat! Und alle Kontakte gleichen wir mit dieser Grafik ab. Wenn wir Glück haben, finden wir auf diese Weise den Tatort!«

»Damit werden wir schon mehr als genug zu tun haben«, seufzte Vanessa. »Und unser Recherchegenie ist derzeit ja nicht verfügbar. Wer weiß, wie lange das noch dauert!«

»Die Fahndung nach Ljudmila Sokolowa ist in vollem Gange«, hob Tobias die Schultern. »Sie scheint aber wie vom Erdboden verschluckt. Allerdings ist es mir endlich gelungen, Alexander Unger ans Telefon zu bekommen! Er nahm die Information zu seiner Frau geradezu erleichtert zur Kenntnis, er hatte sich schon große Sorgen gemacht, weil er sie seinerseits nicht erreichen konnte. Er will morgen auf halbem Weg nach Hause bei Freunden in Heidelberg haltmachen, wo er ein paar Tage unterkommen kann. Dort dürfte er sicher sein, wir haben demnach eine Sorge weniger. Ihr wisst, dass ich Jasmin aus Sicherheitsgründen von mir aus nicht erreichen kann. Ich werde sie daher darüber informieren, sobald sie mich zum täglichen Rapport anruft.« Er sah auf die Uhr. »Das müsste in einer halben Stunde der Fall sein.«

»Wir könnten die Wohnung filzen, Chef«, meldete sich Martin scheinbar zusammenhanglos zu Wort. »Dort finden wir eventuell auch Hinweise!«

»Die von Maier?«, zeigte Tobias, dass er mit seinem sprunghaften Gedankengang mithalten konnte. »Du wirst es vielleicht nicht glauben, aber dieser Gedanke ist mir ebenfalls gekommen! Leider ist das nicht ganz einfach, denn wir benötigen einen Durchsuchungs beschluss dazu, und den kann uns aufgrund der Ortsgebundenheit nur ein Kölner Amtsrichter ausstellen. Wir werden um Amtshilfe bitten müssen.«

»Wieso? Der Kerl ist doch tot und lebte außerdem allein, soweit uns bekannt ist. Den Schlüssel hatte er bei sich. Wozu dann noch ein Beschluss?«

Sein Partner sah ihn nur mitleidig an. »Was hast du gemacht, als das auf der Polizeiakademie durchgenommen wurde? Schiffchen versenkt? Die Wohnung ist nach Artikel 13 des Grundgesetzes unverletzlich. Punkt. Da steht nirgendwo geschrieben, dass dieses Grundrecht mit dem Tode erlischt! Wir dürfen nicht einfach hinein, davon abgesehen wohnte Maier zur Miete. Es gibt also noch einen, der ein Recht darauf hat: der Eigentümer!«

»Aber nur, was die Wohnungstür betrifft«, korrigierte Tobias ihn. »Außerdem ist dieses Grundrecht eng mit Artikel 1 verknüpft. Die Menschenwürde ist weit über den Tod hinaus geschützt, und es ist ja nie gesagt, was man in einer Wohnung alles findet. Jonas hat jedoch in der Sache vollkommen recht: Wir benötigen einen Beschluss, um den ich mich unverzüglich kümmern werde. Das kann aber dauern!«

# Kapitel 10

*Ein ungebetener Besucher*

Ljudmila stellte den Suzuki am Rand einer kleinen Ortschaft ab, die, wie die meisten Ansiedlungen hier, lediglich aus einer Handvoll Häusern bestand. Dieser Umstand war einer der Gründe, weshalb sie für die Fahrt hierher länger benötigt hatte. Es gab hier mehr Kornfelder als Ortschaften, mit einem verwirrenden Netz von Feldwegen und Straßen dazwischen, und sie hatte sich schlichtweg verfahren! Über ein Navigationssystem verfügte der gestohlene Wagen nämlich nicht und ein Handy besaß sie ja keines. Ohne WLAN war auch das Notebook nicht hilfreich gewesen. Aber sie hatte auch einen kleinen Umweg gemacht!

Hier in dieser Gegend, die von den Einheimischen das ›Windecker Ländchen‹ genannt wurde, war alles extrem auseinandergezogen und die Wege weit. In ihrer Heimat hätte man das noch begreifen können, denn dort war reichlich Platz. Aber hier im kleinen Deutschland, das im Verhältnis zu Russland kaum mehr als ein Fliegenschiss auf der Landkarte war? Sie hatte ihren Weg aus dem Gedächtnis abrufen müssen und etwas länger benötigt, doch dafür hatte sie ihr Jagdinstinkt exakt an die geplante Stelle gebracht!

Nun lag sie im Gebüsch auf der Lauer und beobachtete das Haus, das keine fünfzig Meter von ihrem Versteck entfernt zwischen den letzten Ausläufern des dichten Waldes aufragte, in dem sich die von ihr auf dem Satellitenbild gesehene freie Fläche befinden musste. Das von einem mannshohen Maschendrahtzaun umgebene, anderthalbgeschossige Gebäude war ihr entgangen, aber es konnte später entstanden sein, da die Satellitenaufnahmen von *Google Maps* sicher ein paar Jahre alt waren. Falls der Helikopter tatsächlich hier stand, wäre das auf der Rückseite, und sie hätte ihr Ziel erreicht! Konnte sie so viel Dusel haben? Sie musste sofort nachschauen!

Natürlich konnte sie nicht einfach hinspazieren, denn in diesem Fall würde das Grundstück garantiert lückenlos elektronisch überwacht! Einen gefahrlosen Weg, die sicherlich vorhandenen Kameras und Bewegungsmelder zu überlisten, würde sie sich dann auch noch einfallen lassen müssen. Vorerst aber durfte sie einen Abstand von wenigstens zwanzig Metern zum Zaun aus Sicherheitsgründen nicht unterschreiten. Sie kroch vorsichtig zum nahen Waldrand, um sich zwischen den Bäumen in einem weiten Bogen auf die Rückseite des unverhofft aufgetauchten Hauses zu begeben. Sie hatte kurz erwogen, erst den Schutz der Nacht abzuwarten, doch hätte das im Grunde wenig Sinn gehabt. Moderne Überwachungssysteme funktionierten auch bei völliger Dunkelheit.

\*\*\*

»Das ist doch mal eine gute Nachricht, Chef«, freute sich Jasmin. »Ich werde es ihr sofort sagen! Nein, hier ist es eher langweilig. Es ist nie etwas los und das Haus verlassen wir nur, wenn es unbedingt nötig ist«, beantwortete sie abschließend eine letzte Frage nach ihrem Wohlbefinden. »Ich werde ihm die Grüße ausrichten, auch die von seiner Frau natürlich!« Aus Sicherheitsgründen hatten die ›Bewohner‹ des *Sicheren Hauses* alle privaten Kontakte abgebrochen, was für sie als Single weniger schmerzlich war. Der frisch verheiratete Wolfgang erlitt sicher Höllenqualen, zumal er gerade Vater geworden war. Aber er hatte es sich, ebenso wie sie, selbst ausgesucht!

Sie legte den Hörer auf und verriegelte das Telefon wieder, um eine heimliche Benutzung durch Ihren Schützling zu unterbinden. Schließlich durfte auch nicht der kleinste Hinweis zu ihrem Standort nach draußen dringen, und Petra Unger hatte erst gestern bewiesen, dass sie für einen Kontakt zu ihrem Mann bereit war, bis zum Äußersten zu gehen. Man konnte nicht ständig auf sie aufpassen, aber vielleicht würde die Nachricht sie besänftigen, die sie ihr nun überbringen durfte. Die Kellertür hatten sie jedoch nach dem Vorfall sicherheitshalber abgeschlossen.

»Ihr Mann ist in Sicherheit«, wandte sie sich an die Frau, die das Gespräch mit dem Kommissariat von ihrem Platz am Wohnzimmertisch aus verfolgt hatte. Geheimnisse hatte man ohnehin nicht voreinander, da sie alle irgendwie im selben Boot saßen, und großartig aus dem Weg gehen konnte man sich in diesem Haus sowieso nicht. Wolfgang stand lässig in der Tür, von wo er ihr ebenfalls aufmerksam zugehört hatte. »Er weiß darüber Bescheid, was passiert ist, und wird unterwegs einen Stopp bei Freunden einlegen, wo er voraussichtlich einige Tage bleiben kann. Sie müssen sich also um ihn keine Sorgen mehr machen!«

»Hat man von … von dieser Frau etwas gehört?«, erkundigte sich Petra Unger leise, fast flüsternd, bei

Jasmin Brandt. Auf die Nachricht über ihren Mann reagierte sie aber zunächst nicht. Ljudmila Sokolowa, in einem früheren Leben als Regina Berger bekannt, war eine Cousine von ihr, doch sie vermied es in der Regel, diesen Umstand zur Sprache zu bringen. Zu verwirrend war die Geschichte, die vor Jahrzehnten in ihrer beider Kindheit begonnen hatte.

Bevor die Kommissarin darauf antworten konnte, fing in der Mitte der Zimmerdecke eine blaue Lampe an zu kreisen. Ihre Ähnlichkeit mit dem Signallicht eines Streifenwagens kam nicht von ungefähr, denn die in sämtlichen Räumen installierten Signallampen waren als stummer Alarm gedacht und zeigten eine Annäherung an das Haus an! Wolfgang Müller gab sofort seine lässige Haltung auf und stürmte los, um im Beobachtungsraum die Überwachungskameras zu sichten. Jasmin Brand erteilte Petra Unger die Anweisung, sich auf gar keinen Fall von der Stelle zu rühren und vor allem den Fenstern fernzubleiben, und folgte ihm nach nebenan.

Wolfgang hatte bereits seinen Platz vor den Monitoren eingenommen. Jasmin ließ sich in den zweiten Sitz fallen und scannte mit ihm gemeinsam die Bilder der Außenüberwachung. Die acht Kameras, strategisch an den vier Ecken und den Seitenwänden angebracht und durch ihre Beweglichkeit in der Lage, das ganze Grundstück und das nähere Umfeld im Fokus zu behalten, zeigten außer den Bäumen nichts an. Da die Bewegungsmelder nach wie vor eine Annäherung verkündeten, musste draußen aber irgendwas sein!

»Dort!«, rief Jasmin plötzlich aus und zeigte auf einen der Bildschirme für die Rückseite. »Da war eine

Bewegung an den Büschen direkt hinter dem Zaun«, meldete sie. »Doch das kann auch der Wind gewesen sein.« Wolfgang schaltete wortlos die Infrarotfunktion der für den Bereich zuständigen Kamera ein und auf dem Monitor erschien an der genannten Stelle in Bodennähe zwischen den Bäumen ein roter Fleck mit verschwommenen Umrissen. Es war, der Wärmesignatur gemäß, jedoch definitiv etwas Lebendiges!

»Da ist was«, nickte Müller. »Es bewegt sich nicht, ist aber wärmer als die Umgebung. Also ein lebender Organismus, und der ist nicht gerade klein! Zudem reagieren die Bewegungsmelder ja vornehmlich auf Wärmeunterschiede. Entweder ist es ein großes Tier, oder aber ein Mensch, der in einer Vertiefung liegen könnte, wodurch wir nur seinen vorderen Teil sehen. Ich gehe raus, nachschauen!«, informierte er sie und griff zu seiner Schusswaffe und der Schutzweste. »Du beobachtest weiterhin die Bildschirme. Sollte ich in zehn Minuten nicht zurück sein, rufst du sofort die Kavallerie!«

Sie verkniff sich ein »sei vorsichtig« und konzentrierte sich auf das Kamerabild mit der verdächtigen Stelle am Waldrand hinter dem Haus. Wolfgang hatte mehr Dienstjahre auf dem Buckel als sie und ausreichend Erfahrung in solchen Dingen. Er würde sich schon vorsehen, außerdem sollte er jeden Augenblick auf dem Bildschirm erscheinen. Sie saß in der ersten Reihe, ganz gleich, was passierte! In diesem Moment teilten sich die Büsche und der ungebetene Besucher schien ihr direkt in die Augen zu schauen!

\* \* \*

Die Jägerin duckte sich schnell wieder, als der Kerl aus dem Hintereingang trat und sich wie suchend umschaute. War sie trotz aller Vorsicht doch entdeckt worden? Sie atmete auf, als er in die Tasche griff und ein Päckchen Zigaretten hervorholte. Er schob sich einen Glimmstängel zwischen die Lippen, zündete ihn an und zog sofort gierig daran.

Ljudmila duckte sich noch tiefer in ihr Versteck. Sie hatte schon genug gesehen, doch solange dieser Kerl da herumlungerte, nur ein paar Meter von ihr entfernt, konnte sie nicht verschwinden! Was wusste sie denn, wo überall ihre Steckbriefe verteilt waren? Besser war es daher, nicht gesehen zu werden!

Sie musste sich außerdem eingestehen, dass sie anscheinend einem Irrtum aufgesessen war. Nicht nur, dass es hinter dem Haus im Gegensatz zu vorne keinen Zaun gab, stand auch definitiv kein Helikopter auf der freien Fläche! Und der rauchende Kerl war ein kleines, dürres Männchen, allenfalls die Hälfte von dem, der den Hubschrauber geflogen hatte.

Die Minuten zogen sich qualvoll in die Länge, bis er endlich seine aufgerauchte Kippe austrat und in das Haus zurückging. Rasch entfernte sie sich wieder und lief zu ihrem Auto zurück. Übertriebene Vorsicht brauchte sie jetzt nicht mehr walten zu lassen. Hier war sie nur unnötig aufgehalten worden und es gab noch eine verhältnismäßig große Fläche abzusuchen! Sie beschloss, ein öffentliches WLAN zu suchen und das Satellitenbild noch einmal anzuschauen. Es war nur eine Frage der Zeit, bis sie ihr Wild gestellt hatte!

\* \* \*

Jasmin lachte lauthals auf, als Wolfgang an den Zaun trat und zweimal kräftig in die Hände klatschte. Bei seinen Pranken, die fast an Schaufelblätter erinnerten, hallte das sicher wie Pistolenschüsse. Hören konnte sie es jedoch nicht, da die Kameras nicht über Mikrofone verfügten. Der eigentliche Grund für ihre Erheiterung war aber der kleine ›maskierte‹ Kerl, der sich daraufhin auf seine Hinterbeine stellte und die rechte Pfote hob. Es sah beinahe aus, als wolle er dem Störenfried mit der Faust drohen oder zum Abschied zuwinken, bevor er unter den Bäumen verschwand.

*Ein Waschbär!* Sie hatte schon davon gehört, dass es in diesen Wäldern welche geben sollte, ebenso wie Wölfe, die in den letzten Jahren aus dem Osten eingewandert waren. Im Gegensatz zu ihnen waren diese possierlichen Räuber höchstwahrscheinlich aus einer Zuchtfarm ausgebüxt. Jasmin erhob sich erleichtert, um im Wohnzimmer auf die Rückkehr des Kollegen zu warten. Das irritierende Leuchten des Bewegungsalarms war mit dem Verschwinden des ungebetenen Besuchers ebenfalls erloschen.

Es war jedoch beileibe nicht der erste Zwischenfall dieser Art. Seit sie sich dazu entschlossen hatten, die Kamerabilder nicht mehr den ganzen Tag zu beobachten, und stattdessen die Bewegungsmelder auch tagsüber scharfgestellt hatten, war dieser Waschbär nach zwei Rehen und einem streunenden Hund der vierte Fehlalarm gewesen. Kleinere Tiere wie Eichhörnchen wurden zum Glück völlig ignoriert. Gut zu wissen, dass man sich im Ernstfall auf das Sicherheitssystem verlassen konnte!

Petra Unger saß immer noch stocksteif auf dem Sofa und blickte ihr fragend entgegen. Auch das war eine positive Entwicklung. Beim letzten Mal, und das war erst heute Morgen gewesen, war sie noch panisch zum Fenster gelaufen. Die waren zwar aus kugelsicherem Glas und zudem vergittert, doch man musste ja nicht jedem auf die Nase binden, wer hier untergekommen war! »Falscher Alarm!«, hob Jasmin lapidar die Schultern. »Diesmal war es ein Waschbär!«

»Na, immerhin trug der Kerl eine Maske!«, ertönte hinter ihr das sonore Organ Müllers. Er war gerade zur Tür hereingekommen und grinste über das ganze Gesicht. Die Schutzweste ließ er achtlos zu Boden fallen. »Wir kommen der Sache also langsam näher! Hey, das war nur ein Scherz!«, fügte er hastig hinzu, als er die entsetzte Miene Ungers sah. Deren Nerven lagen sichtlich blank, was aber nach den Ereignissen der letzten Tage nur zu verständlich war.

# Kapitel 11

*Ein kniffliges Rätsel*

Das Videobild war etwas grobkörnig und zudem schwarz-weiß. Tobias hielt die Wiedergabe an, als die Frau ihr Gesicht zur Kamera drehte und gleichzeitig senkte, sodass ihre Züge durch das Basecap auf ihrem Kopf im Schatten lagen und daher nicht zu erkennen waren. Der Zeitstempel zeigte das gestrige Datum an. Es war 17:46 Uhr. »Das ist die verdächtige Person, als sie das Gelände der Tankstelle verließ. Da sie offenbar kein Auto dabei hatte oder es vielleicht außerhalb der Erfassung der Überwachungskamera abgestellt hat, wird sie den Ort wohl eher nicht zum Tanken aufgesucht haben!«

»Und du bist sicher, dass es sich um die Sokolowa handelt, Chef?«, erkundigte sich Jonas, der diese Frau ebenso wie sein Partner Martin nur ein einziges Mal kurz gesehen hatte, als sie nach dem Versuch, Petra Unger in deren Haus zu töten, abgeführt wurde. Und da lag sie blutend auf einer Trage, nachdem Jasmin sie im Zuge der Festnahme angeschossen hatte. »Ich habe sie mit *kurzen blonden* Haaren in Erinnerung«, fügte er deshalb hinzu. »Die hier sind dunkel, und so schnell können die in der Zeit nicht gewachsen sein!«

»Sie könnte eine Perücke tragen«, vermutete sein Vorgesetzter. »Und nein, ich bin mir nicht sicher! Der Gang und auch die ganze Art, sich zu bewegen, erinnert mich jedoch stark an sie. Vergesst nicht, dass ich ihr einmal wesentlich näher kam, als es mir lieb sein konnte! Zudem will der Tankwart sie auf dem Fahndungsfoto wiedererkannt haben, das seit gestern in Tankstellen, Supermärkten und natürlich den öffentlichen Gebäuden aushängt. So wie diese Person sich benimmt, weiß sie außerdem genau, wo die Kamera ist und wie man verhindert, dass sie einen erkennbar erfasst. Aber dieses Video ist noch aus einem anderen Grund wichtig für uns!«

»Diese Tankstelle liegt in der Nähe des *Sicheren Hauses*, in dem sich Petra Unger in Begleitung ihrer beiden Bewacher momentan versteckt hält, habe ich recht?«, vermutete Martin. Sein brillanter Verstand, der im krassen Gegensatz zu seinem extrem schlampigen Äußeren stand, hatte alle Fakten blitzschnell kombiniert und war zu dem Schluss gelangt, dass Tobias diese Begebenheit ansonsten sicher nicht zur Sprache gebracht hätte. Immerhin war er bis jetzt der Einzige im Raum, der wusste, wo sich dieser Unterschlupf befand!

»Das ist richtig!«, nickte der SOKO-Chef ernst. »Es bleibt mir unter den Umständen wohl keine andere Wahl, als euch zumindest ungefähr die Gegend zu verraten, wo sich dieses Haus befindet. Die Tankstelle ist zwar einige Kilometer davon entfernt, doch allein die Tatsache, dass es sich um die gesuchte Mörderin handeln könnte, muss uns sehr zu denken geben. Ihre Anwesenheit in Windeck könnte in diesem Fall kein Zufall sein. Sie weiß also wahrscheinlich, wo sie zumindest ungefähr zu suchen hat, und das bereitet mir ziemliche Bauchschmerzen!«

»Aber wie will sie das Versteck herausgefunden haben, wenn nicht einmal *wir* es kennen?«, wunderte sich Erik. »Sie kann mit dem Quad unmöglich hinter dem Helikopter hergefahren sein, zumal wir das Teil später ganz in der Nähe des Startplatzes fanden!«

»Was weiß denn ich?«, hob Tobias die Schultern. »Vielleicht ein Peilsender, den sie, auf welche Weise auch immer, ihrer Zielperson untergejubelt hat. Ich werde Jasmin über unseren Verdacht informieren, sie soll sich das Gepäck von Petra Unger einmal genauer anschauen.«

»Willst du die beiden wirklich nur auf eine bloße Vermutung in Unruhe versetzen?«, brachte Vanessa einen Einwand vor. »Erik hat recht: Wie sollte sie das herausgefunden haben? Um eine Wanze an ihrem Koffer anzubringen, müsste sie doch kurz vor dem Abflug in ihrem Haus gewesen sein, und dafür gibt es keine Hinweise. Es kann sich hierbei nur um einen Zufall handeln!«

»Ljudmila Sokolowa ist laut ihrer Akte 1,72 Meter groß und für eine Frau ungewöhnlich muskulös, bei einem Gewicht von sechsundsiebzig Kilogramm.« Er ließ das Video bis zu dem Moment zurücklaufen, als sie aus dem Tankstellenhäuschen trat. »Seht her: Für wie groß und schwer haltet ihr diese Frau? Vergesst nicht, dass der Tankwart sie erkannt hat! Sie hatte dort nach dem Zugriffscode für das WLAN gefragt und draußen auf einer Bank mehrere Minuten mit einem Notebook herumhantiert. Der Tankwart hat sie beobachtet. Wozu tat sie das wohl? Nein, es bleibt dabei: Wir gehen besser davon aus, dass die Sokolowa unseren Leuten auf der Spur ist!«

»Und was sollen *wir* jetzt dabei tun?«, kam Martin erneut auf den Kern der Sache zu sprechen. »Du hast uns das Video doch nicht ganz ohne Hintergedanken gezeigt!«

»Wieder richtig!«, lächelte Tobias. »Aber das gilt vornehmlich für diese beiden«, zeigte er auf Erik und Vanessa. »*Ihr* beide fahrt mit zwei Forensikern nach Köln in die Wohnung von Maier und schaut euch dort einmal gründlich um. Den Beschluss hat man mir für die nächste Stunde verbindlich zugesagt, ihr könnt ihn bei der dortigen Staatsanwaltschaft abholen. Ihr zwei hingegen«, wandte er sich an die Kommissarin und den Kommissaranwärter, »sucht mir alle Diebstahlanzeigen von Autos der letzten drei Tage heraus. Ljudmila hat das uns bekannte Fahrzeug in unserem Zuständigkeitsgebiet stehenlassen, sie wird also auch in dieser Gegend eines als Ersatz entwendet haben. Wenn wir aber das Kennzeichen und den Typ wissen, können wir damit die Suche nach ihr wirksam unterstützen!«

»Und was ist mit unserem aktuellen Fall?«, wagte Vanessa einen Widerspruch. »Wir sind mitten in den Recherchen zu Maiers Leben, wie du uns aufgetragen hattest!«

»Habt ihr denn schon etwas gefunden?«

»Nein, das nicht. Uns fehlt eben Jasmin. Sie ist ein wahres Genie auf dem Gebiet, wie du weißt!«

»Das mit den Diebstahlanzeigen dauert ja nicht so lange, das könnt ihr in einer Stunde erledigt haben. Und es muss auch mal ohne Jasmin gehen! Ich würde sie ja mit dieser Aufgabe betrauen, aber dort, wo sie jetzt ist, gibt es bekanntlich kein Internet. Ich halte es momentan jedoch für wesentlich wichtiger, uns um die Sokolowa zu kümmern. Denkt bitte immer daran, dass Kollegen von uns sich in großer Gefahr befinden könnten!«

Dass er mehr als beunruhigt war, zeigte er ihnen nicht. Aber was konnte er tun? Wenn er die dortigen Kollegen beauftragte, das Haus im Auge zu behalten, wäre dessen Standort kein Geheimnis mehr, und das durfte auf keinen Fall geschehen! Es wäre ›verbrannt‹ und für zukünftige Einsätze nicht mehr verwendbar. Zudem würden diese Patrouillen eine Jägerin wie die Sokolowa womöglich erst recht dorthin führen! Ihm blieb in dieser Situation nichts anderes übrig, als sich auf das LKA zu verlassen.

Und natürlich auf Jasmin und Wolfgang. Die zwei waren Profis und wussten sich ihrer Haut durchaus zu wehren! Letzterem konnte er jedoch eventuell eine kleine Freude bereiten. Wolfgang war als Privatmann nicht zu einem Einsatz wie diesem verpflichtet und opferte viel dafür. Er hatte eine Belohnung verdient! Jasmin würde frühestens in einer Stunde anrufen, Zeit genug also für die Vorbereitung. Lächelnd zog er sein privates Handy hervor und wählte eine Nummer aus seinem Gedächtnis.

\* \* \*

»Danke, dass du uns gewarnt hast«, schloss Jasmin das tägliche Gespräch mit ihrem Vorgesetzten ab. »Es ist nach wie vor alles ruhig, wir erhalten nur hin und wieder Besuch von den Waldbewohnern. Erst gestern haben wir einen niedlichen Waschbären vom Grundstück verscheucht. Die Bewegungsmelder tun zuverlässig ihren Dienst, wir werden aber jetzt noch wachsamer sein. Dieses Haus muss man sowieso erstmal finden, es liegt ja weit abseits der nächsten Siedlung am Waldrand und es führt nicht einmal eine befestigte Straße dorthin. Ein Peilsender? Wie sollte der in das Gepäck gelangt sein? Ich werde natürlich sofort danach suchen. Wolfgang? Ja, der steht direkt neben mir. Warte, ich gebe ihn dir«, sagte sie zum Abschied und drückte dem verblüfften Mann den Hörer in die Hand, den er stirnrunzelnd entgegennahm.

»Tobias?«, meldete er sich zögernd. Was konnte der ehemalige Kollege ausgerechnet von ihm wollen? Dann erhellten sich seine Gesichtszüge, er strahlte förmlich. »Chrissie! Was machst du denn bei Tobias im Kommissariat? Aber natürlich freue ich mich, deine Stimme zu hören, Liebes! Du weißt selbst, dass ich dich von hier aus nicht anrufen darf! Gib mir doch mal den Kleinen ans Telefon! Wie, der kann immer noch nicht sprechen?«, grinste er albern. »Ich vermisse euch auch!«

Der weitere Gesprächsverlauf gestaltete sich recht einsilbig, zumindest von seiner Seite aus. Offenbar textete seine Frau ihn minutenlang zu, von ihm nur durch gelegentliches Brummen und an der richtigen Stelle eingestreute Bejahungen oder Verneinungen unterbrochen. Zentrales Gesprächsthema war natürlich der gemeinsame Sohn. »So, jetzt muss ich aber wieder«, beendete er es nach ein paar Minuten. »Es war schön, von dir zu hören!« Er hätte sich gerne noch etwas länger mit seiner Frau unterhalten, doch in dieser Kürze war es für sie beide am besten.

Und über seine Arbeit hier durfte er sowieso nicht mit ihr reden. Jasmin hatte im Grunde schon zu viel über die geografische Lage des Hauses verraten, aber Tobias wusste ohnehin Bescheid, und dieses Telefon galt als abhörsicher. Chrissie verstand das, immerhin war sie ebenfalls Polizistin und seit fast sechs Jahren seine Lebensgefährtin. Seufzend legte er den Hörer auf und verriegelte das Telefon. »Und jetzt kümmern wir uns zuallererst um die hoffentlich nicht vorhandene Wanze!«, wandte er sich an Jasmin.

Der ›Übeltäter‹ war schon nach wenigen Minuten gefunden, so sehr viele Möglichkeiten gab es ohnehin nicht. Nachdem Wolfgang den Kleiderschrank sowie sämtliche Kleidungsstücke, die Petra Unger hierher mitgebracht hatte, mit einem speziellen Spürgerät aus dem Fundus des Hauses untersucht hatte, blieb nur noch der leere Koffer übrig. Auch hier schlug der Scanner nicht an. Erst, nachdem Jasmin das Gepäckstück sorgfältig abgetastet hatte, entdeckte sie eine Seitentasche im Inneren des Koffers. Sie griff beherzt hinein und zog ein Handy hervor. Natürlich hatte sie sich zuvor Handschuhe übergezogen.

»Das ist ja meins!«, rief Petra Unger verblüfft aus. »Ich habe es aber ganz bestimmt nicht in den Koffer gepackt! Ich dachte im Gegenteil, ich hätte es verlegt, und Ihre Kollegen sagten mir, ich könne es sowieso nicht mitnehmen. Dann sind wir aus dem Haus und zu dem Hubschrauber!«

»Es ist entweder ausgeschaltet oder der Akku ist leer«, verkündete Jasmin, nachdem sie es einer ersten Prüfung unterzogen hatte. Sie reichte es an Wolfgang weiter, der sofort wortlos die Energiezelle entfernte. Zum Glück handelte es sich um ein älteres Modell, bei dem das problemlos möglich war. Er hätte es sonst sicherheitshalber zerstören müssen.

»Wir gehen lieber auf Nummer sicher«, erklärte er ihr und der rechtmäßigen Besitzerin anschließend. »Womöglich wurde heimlich eine Tracking-Software auf dem Handy installiert, die uns lediglich vorgaukelt, es wäre ausgeschaltet. Wo hatten Sie das Telefon zuletzt benutzt?«, erkundigte er sich bei Petra Unger. »Wissen Sie das noch?«

»Ich dachte, das wäre im Schlafzimmer gewesen. Ich wollte gerade beginnen, den Koffer zu packen, als ich mich plötzlich irgendwie beobachtet fühlte. Diese Frau war ja schon einmal unbemerkt eingedrungen. Kurz vorher hatte ich vergeblich versucht, meinen Mann zu erreichen. Ich bin in Panik geraten und zu meiner Freundin gelaufen. Dort haben Ihre Kollegen mich später abgeholt. Das Handy wähnte ich auf der Nachtkonsole, aber da war es nicht!«

Jasmin schickte Wolfgang einen fragenden Blick, den dieser mit einem Nicken beantwortete. Die logische Schlussfolgerung aus dem Gehörten war klar: Sokolowa musste sich im Schlafzimmer aufgehalten haben, wahrscheinlich nur Minuten, nachdem Unger es verlassen hatte. Als die in Begleitung der Kollegen zurückkam, lief sie aus dem Haus und versteckte sich in der Nähe. Anders war ihr Auftauchen am Abflugplatz nämlich nicht zu erklären. Sie musste entweder hinter Tobias oder Martin hergefahren sein. Vorher präparierte sie das Handy mit der Spionage-App und platzierte es in dem Seitenfach des Gepäckstücks.

»Ich konnte doch nicht ahnen, dass es in meinem Koffer war!«, schluchzte Petra Unger. »Hätte ich nur nachgeschaut, ich habe uns alle in Gefahr gebracht!«

»Wie ich schon sagte, verfügt das Haus über einen Dämpfer«, beruhigte Wolfgang sie aufgelöste Frau. »Das ist ein elektrisches Feld, das sämtliche Handysignale wirksam unterdrückt, dazu gehört auch GPS!«

Sie wurde bleich. »Aber ... Durch meine Dummheit hatten wir vorgestern einen Stromausfall!«, erinnerte sie sich. »Dann fällt doch auch dieser Dämpfer aus, oder nicht?«

»Das war nur für ein paar Sekunden! Wie groß ist die Wahrscheinlichkeit, dass ausgerechnet in dieser kurzen Zeit eine Ortung durchgeführt wurde? Nein, wir sind nach wie vor sicher, glauben Sie mir!«

Wolfgang tauschte nun seinerseits einen Blick mit Jasmin. Beide dachten dasselbe: Unter diesem Aspekt war die Anwesenheit der Killerin hier in Windeck in einem völlig neuen Licht zu betrachten. Sie mochte vielleicht nicht den genauen Standort kennen, doch dass sie jetzt in dieser Gegend herumschlich, konnte kein Zufall sein! Ihr Schützling durfte auf gar keinen Fall davon erfahren!

* * *

Während die einen im fernen Windeck ein Rätsel gelöst zu haben glaubten, stand anderen noch eines bevor. Sogar ein recht kniffliges, doch davon ahnten Martin und Jonas noch nichts, als sie im Beisein des Vermieters und zwei Forensikern die Wohnungstür Oliver Maiers in Köln-Kalk öffneten. Höflich ließen sie den Spezialisten den Vortritt.

»Wenn Sie mich nicht mehr benötigen, würde ich mich gerne wieder entfernen. Ich habe einige dringende Angelegenheiten zu erledigen«, wandte Roland Jakuscheid sich an Martin Weber, in dem er trotz des schlampigen Aufzuges offenbar instinktiv den Ranghöheren vermutete. Womöglich war er aber auch nur durch wenig realitätsnahe Krimiserien wie *Columbo* vorbelastet. Er konnte nicht ahnen, dass der Hauptkommissar ein Fan der amerikanischen Fernsehserie war und den Titelhelden seit Jahren imitierte, wenn auch mit mäßigem Erfolg.

»Nein, gehen Sie nur, wir kommen schon alleine zurecht«, winkte er lässig ab. »Wir melden uns aber eventuell noch mal bei Ihnen, wenn wir fertig sind.« Mit diesen Worten ließ er Jakuscheid einfach stehen und folgte seinem bereits vorausgegangenen Partner in die Wohnung. Dazu musste er sich jedoch zuerst durch eine Anzahl von Kisten mit allerlei Gerümpel, aufgestapelten Zeitschriften, leeren Lebensmittelverpackungen und anderem Müll kämpfen, der den Weg durch den kurzen Flur zu einem Slalom machte.

Jonas war am Ende der Diele stehengeblieben, wo er naserümpfend in einen Raum blickte, der wohl das Wohnzimmer darstellen sollte, denn es standen ein alter, zerschlissener Sessel, ein Couchtisch mit einer leeren Flasche und einem überquellenden Aschenbecher, sowie ein vorsintflutlicher Fernseher darin. Der Rest der verfügbaren Fläche war auch hier mit allem möglichen Kram vollgestellt. Anscheinend handelte es sich bei dem Wohnungsinhaber um einen ›Messi‹, also um einen Menschen, der nichts wegwarf und stattdessen lieber wie auf einer Müllhalde lebte.

»Jetzt ist mir klar, warum der Vermieter so erpicht darauf war, nicht mit hineinkommen zu müssen!«, stellte Martin fest. »Das ist ja furchtbar! Wie kann ein Mensch nur in einem solchen Drecksloch leben? Und ein Säufer war der Gute auch, wenn ich mir die leeren Schnapsflaschen so anschaue!« Die Wodkaflasche auf dem Tisch war nämlich beileibe nicht die Einzige, auf dem Fußboden darunter lagen noch zwei davon. »Ich frage mich, wie er das vor seiner Umgebung geheimhalten konnte!«

»Es ist sehr fraglich, dass Jakuscheid vom Zustand der Wohnung überhaupt wusste. Vermieter erfahren in der Regel zuletzt davon, weil diese Leute immer eine Ausrede parat haben, einen nicht hereinlassen zu müssen, oder gar nicht erst die Tür aufmachen. Und von Wodka bekommt man ja bekanntlich keine Alkoholfahne«, nickte Jonas wissend. »Ich wundere mich eigentlich mehr darüber, wie *so einer* die Frechheit besitzen kann, in seinen Kolumnen den Dreck kübelweise über seine Mitmenschen auszuschütten! Das ist doch krank!«

»Vielleicht tat er das ja, um von sich abzulenken«, überlegte Martin, während er sich umständlich die Latexhandschuhe überzog. »Wer ständig auf andere zeigt, wird selber leicht übersehen. Auf jeden Fall ist aber unter seinen ›Opfern‹ auch derjenige zu suchen, der ihn umgebracht hat, da bin ich mir sicher! Und wir sind jetzt hier, um ihn oder sie zu finden, gehen wir also ans Werk!«

»Ich bin zum ersten Mal im Leben ganz froh, dass wir so etwas mit Handschuhen machen«, brummte Jonas und zog ebenfalls ein Paar aus der Tasche. Aus einem Nebenraum, wahrscheinlich handelte es sich dabei um das Schlafzimmer, drangen die gedämpften Stimmen der beiden Forensiker zu ihnen. Die waren schon mit weitaus schlimmeren Zuständen konfrontiert worden und ließen sich von der auch dort herrschenden Unordnung nicht beeindrucken.

»Wir brauchen Tage, um uns durch diesen ganzen Dreck zu wühlen«, ereiferte sich Jonas. Von nebenan erklang das Pfeifen eines der Spurensucher, der eine fröhliche Melodie intonierte. Nicht, dass die Spezialisten aus Vogels Team ihre immens wichtige Arbeit nicht ernst nehmen würden, schließlich hing nicht selten ein Ermittlungserfolg der Kriminalisten davon ab! Zwar handelte es sich hier nicht um einen Tatort, doch falls der Täter aus dem persönlichen Umfeld des Opfers kam, würde man möglicherweise Spuren vom ihm oder ihr finden.

Allerdings konnte es ihnen eigentlich gleichgültig sein, ob sie etwas fanden oder nicht, da sie persönlich nichts davon hatten. Die Ermittler hingegen nahmen ihre Misserfolge in den Feierabend oder ins Wochenende mit und hatten oft tagelang daran zu knabbern. Umso mehr hofften sie jetzt auf einen ›Knaller‹, da heute Freitag war und ein positives Erlebnis gerade zur rechten Zeit käme. Aussehen tat es auf den ersten Blick nicht danach, auch nicht auf den Zweiten.

Aber auf den Dritten! Während sein Partner noch mit dem seiner Ansicht nach ungerechten Schicksal haderte, das ihn in diese Wohnung gebracht hatte, fiel Martin eine Art ›Schneise‹ in dem Gerümpel auf, die einen offenbar intensiv genutzten Weg markierte. Und der führte direkt zu einer Tür gleich neben der zum

Schlafzimmer, wo die Forensiker nach wie vor werkelten. Als er sie öffnete, stieß er seinerseits einen schrillen Pfiff aus, der Jonas sofort hellhörig werden ließ. Diese Art Lautäußerung seines Kollegen kannte er genau: Martin hatte soeben etwas entdeckt!

* * *

»Hier sind die Ergebnisse der Abfrage zu den Diebstahlsmeldungen, Chef!« Vanessa reichte Tobias eine Liste. »Wir haben uns dabei auf die Tage Montag bis Donnerstag und die nähere Umgebung von Siegburg beschränkt, da die Sokolowa hier ihr Quad zurückgelassen hatte. Außerdem Köln und Bonn, da man diese Städte mit den öffentlichen Verkehrsmitteln in ein paar Minuten leicht erreichen kann.«

»Zwei in Siegburg, eins in Bonn und drei in Köln«, las der SOKO-Chef. »Das ist überschaubar. Es ist zwar nicht gesagt, dass ihr Fahrzeug darunter ist, aber ich gebe diese Liste sofort an das LKA weiter, die können dann vor Ort gezielt danach Ausschau halten. Wenn die Flüchtige allerdings nur halb so clever ist, wie ich sie einschätze, hat sie in der Zwischenzeit erneut das Auto gewechselt oder die Kennzeichen getauscht.« Er sah auf die Uhr. »Es ist gerade mal Mittag, also noch genügend Zeit. Ihr könnt dann jetzt mit den Recherchen zu Oliver Maier fortfahren.«

»Ähem ...«, hüstelte sie verlegen. »Wenn du nichts dagegen hast, würde ich mit Erik gerne noch einmal kurz rausfahren. Wir haben da eine Idee, wie wir den Unfallort vielleicht doch noch lokalisieren könnten, auch ohne nach Blutspuren zu suchen. Und da wir momentan sowieso nicht weiterkommen ...«

»Klar, alles ist besser, als hier sinnlos herumzusitzen«, grinste Tobias schief, wobei er im Prinzip die eigene Situation meinte. Seit er dieses Kommissariat leitete, konnte er seine Außeneinsätze an den Fingern einer Hand abzählen. Natürlich war die Koordination der Tätigkeiten seiner Ermittler ebenso wichtig, doch für einen Tatmenschen wie ihn war dieser Zustand schon frustrierend. »Mit Maier befassen sich sowieso gerade Martin und Jonas, wenn ihr also etwas herausfindet, soll es mir recht sein!«

\*\*\*

Der Unterschied könnte größer nicht sein. Hinter ihnen eine Müllhalde und hier ein im Verhältnis dazu blitzblanker Raum mit einem aufgeräumten Schreibtisch, auf dem ein Desktop Computer mit LCD-Bildschirm, Maus und Tastatur stand. Gleich daneben ein Festnetztelefon neben einem Terminkalender. Er war auf den Tag aufgeschlagen, an dem der Wohnungsinhaber starb, wie Martin mit geübtem Blick erkannte. Davor lud ein Drehstuhl zum Hinsetzen ein, was er auch sofort tat.

»Der Arbeitsplatz musste ihm geradezu heilig sein, wenn ich mir den Rest der Bude so anschaue«, meinte er, während er beiläufig er den Rechner einschaltete, der mit einem Summen hochfuhr. »Hier finden wir etwas, das sagt mir meine Nase!«

»Groß genug ist der Zinken ja«, kam postwendend die Standardantwort seines Partners, der sich neben ihn gestellt hatte und den Terminkalender und das Telefon inspizierte. Letzteres war ein modernes Gerät und verfügte über einen Rufnummernspeicher und eine Anrufliste. »Aber du hast vermutlich recht, wer eine solche Sorgfalt auf seinen Arbeitsplatz legt, ist in der Regel bestens organisiert. Keine Frage, dass Maier hier sein Geld verdient hat! Der Kalender ist auf den Todestag aufgeschlagen«, teilte er Martin überflüssigerweise mit. »Und quer über die ganze Seite hat er in großen Buchstaben *E.T.* geschrieben. Was könnte das bedeuten?«

»*E.T. nach Haus telefonieren!*«, imitierte Martin die Stimme des kleinen Außerirdischen, was ihm einen verständnislosen Blick seines Partners einbrachte.

»Du bist albern!«, rügte Jonas ihn augenrollend. »Das ist vielleicht der entscheidende Hinweis, nach dem wir suchen! Es könnte sich um die Initialen von einem handeln, mit dem er sich an dem Tag getroffen hat!«

»Oder treffen *wollte*«, relativierte Martin. »Er kann ja auch von jemandem daran gehindert worden sein! Aber du hast recht, wir nehmen das ganze Zeugs mit. Den Computer packen wir ebenfalls ein. Damit kann sich Amara herumschlagen, er ist nämlich passwortgeschützt!« Das schon betagte Gerät war mittlerweile hochgefahren und forderte ihn unmissverständlich zur Eingabe eines Kennwortes auf.

»Versuch mal *Saufkopf* oder *Schmutzfink*«, schlug Jonas ihm mit einem Augenzwinkern vor. Der bei den Kollegen als absolut humorlos verschriene Ermittler hatte doch tatsächlich einen Scherz gemacht!

»Bereits probiert«, gab Martin trocken zurück. Was dieser Kerl konnte, brachte *er* schon lange fertig. Um ihn zu veralbern, musste Jonas früher aufstehen.

Dieser checkte noch kurz die Anrufliste des Telefons und notierte sich die Einträge des Nummernspeichers. »Keine ankommenden oder abgehenden Gespräche in den letzten drei Tagen vor seinem Tod«, informierte er Martin.

# Kapitel 12

*Showdown*

Die Jägerin lauerte wieder in einem Gebüsch und spähte zu einem anderthalbgeschossigen Wohnhaus hinüber, welches sich auch hier hinter einem hohen Zaun verschanzte. Überhaupt war das Gebäude eine fast identische Kopie dessen, das sie zuvor observiert hatte, nur dass der hundert Meter lange Weg dorthin durch die Ausläufer des Waldes führte. Er war nicht befestigt und das Haus erst aus unmittelbarer Nähe zu sehen. Ohne den Hinweis einer Anwohnerin aus dem Nachbardorf hätte sie es nicht gefunden, zumal diese Stelle außerhalb des von ihr vermuteten Planquadrates lag.

Sie setzte ihr Fernglas an die Augen und spähte zu dem Gebäude hinüber. Dort war erwartungsgemäß alles ruhig, es war ja erst 05:12 Uhr. Die Sonne schob sich zwar erst über den Horizont und hier zwischen den Bäumen war es ohnehin immer dämmrig, doch die Optik ihres Glases offenbarte ihr drei bewegliche Kameras, zwei an den Ecken und eine an der Frontseite. Von ihrer Umrundung des Grundstücks kurz zuvor wusste sie, dass es auf den drei anderen Seiten genauso aussah. Acht wahrscheinlich hochempfindliche, infrarottaugliche und mit hochsensiblen Bewegungsmeldern ausgestattete Systeme, die jede Annäherung gnadenlos melden würden!

Sie richtete das Fernglas auf die einzigen Möglichkeiten, in das Haus zu gelangen. Die Fenster waren vergittert und die Eingangstür war, wie auch die auf der Rückseite, aus Panzerstahl und mit einem offensichtlich komplizierten elektronischen Schloss gesichert. Die würde sie mit ihren Einbruchswerkzeugen sicherlich nicht aufhebeln können und die Dietriche waren ebenfalls nutzlos. Doch sie hatte auf dem Weg hierher etwas am Wegesrand entdeckt, dass ihr diesbezüglich eine Hilfe sein könnte!

Ljudmila hatte genug gesehen und zog sich lautlos zurück. Wenn es noch eines Beweises bedurft hätte, dass sie an der richtigen Stelle war, dann lag dieser in dem Helikopter begründet, der auf der freien Fläche hinter dem Haus abgestellt war, und diesmal befand sich der Platz *innerhalb* des Zaunes. Doch das Wichtigste war die Kennung des Fluggeräts: Sie entsprach zu hundert Prozent derer, die sie sich beim Abflug am Montag gemerkt hatte!

Bis es richtig hell wurde, hatte sie noch etwas Zeit, die sie für gewisse Vorbereitungen nutzen wollte. Es war heute zwar Sonntag, aber man wusste nie, wer zu dieser frühen Stunde herumschlich. Bis zur Nacht zu warten, hatte keinen Sinn, da man in dem Haus wahrscheinlich wachsam war und sowieso gewarnt wäre, sobald sie mit ihrem Angriff begann. Und dann war sie noch draußen und musste erst ins Innere! Sie musste eben schnell sein, doch das war ohnehin ihre Spezialität! Während sie zu ihrem Wagen zurücklief, ließ sie in Gedanken die Umstände Revue passieren, die letzten Endes zur Entdeckung des Hauses geführt hatten. Gleichzeitig reifte ein Plan in ihr.

* * *

*Samstag, 08:32 Uhr, irgendwo in Windeck*

Sie hatte eine unbequeme, schlaflose Nacht hinter sich, da sie in ihrem Auto geschlafen oder es wenigstens versucht hatte. Und das hatte zwei Gründe: Zum einen besaß sie kaum noch Bargeld, um ein Zimmer in einer Pension bezahlen zu können, und andererseits patrouillierten seit gestern vermehrt Zivilfahrzeuge des LKA in dieser Gegend. Diese Leute dachten zwar, man wüsste das nicht, doch Ljudmila war als Spionin natürlich über die Fahrzeugtypen orientiert, die von dieser Behörde verwendet wurden. Und aus welchem Grund die hier herumfuhren, war ebenso offensichtlich: Sie war von irgendjemandem identifiziert worden!

Wahrscheinlich hatte dieser Typ an der Tankstelle sie gestern auf einem Fahndungsplakat erkannt, das sicher hinter der Theke gehangen hatte. Er hatte sie jedenfalls merkwürdig angeschaut, als sie nach dem Code für das WLAN gefragt hatte. Jede Wette, dass er die Polizei angerufen hatte, kaum dass sie aus der Tür war! Völlig sinnlos war die Aktion sowieso, denn das GPS-Signal war nicht wieder aufgetaucht.

Zur Sicherheit hatte sie den Suzuki an einer abgelegenen Stelle auf einer Waldlichtung abgestellt und die Nacht darin verbracht. *Den Wagen sollte ich auch baldmöglichst loswerden*, überlegte sie, während sie Dehnübungen absolvierte. *Womöglich kennen sie den ebenfalls! Wenn ich nicht bald eine Spur finde, muss ich sowieso für eine Weile untertauchen, sonst wird mir der Boden hier zu heiß. Dann wäre alles umsonst gewesen!*

Sie holte eine große Tasche aus dem Gepäckraum und inspizierte deren Inhalt, den sie einem der vielen ›Toten Briefkästen‹ entnommen hatte, die sie in den vergangenen Jahren im Bundesgebiet angelegt hatte. Eigentlich handelte es sich eher um Waffenarsenale. *Dieses* Depot hatte sich in der Wahner Heide in der Nähe einer Stadt namens Much befunden, wohin sie auf dem Weg hierher einen Abstecher gemacht hatte. Der Umweg hatte sich aber gelohnt. Es war alles da, was ihr Herz begehrte, und noch einiges mehr! Außer Waffen und Einbruchsgerät gab es beispielsweise ein hochwertiges Fernglas und zwei Sätze Dietriche. Nur Bargeld war leider keines vorhanden gewesen.

Sie verstaute die Tasche wieder und dachte nach. *Zuerst brauche ich was zu essen*, beschloss sie. *Restaurants und andere öffentliche Orte kommen aus naheliegenden Gründen nicht in Betracht. Jedenfalls nicht, wenn die nächste Mahlzeit nicht im Blechnapf serviert werden soll! Ich hole mir etwas in einem dieser winzigen Läden, die es hier noch gibt. Wie nennen die Germanskis sowas? Tante-Irmgard-Läden oder so ähnlich. Ich habe doch gestern in einem verschlafenen Nebenort ein paar Kilometer weiter einen gesehen! Ich lasse meinen Wagen besser stehen, durch den Wald schaffe ich das zu Fuß in einer halben Stunde und kann mich notfalls verstecken.*

* * *

Sie hatte genau sechsundzwanzig Minuten für die fünf Kilometer gebraucht. Der Lauf durch den Wald und die hier zu dieser Stunde noch angenehme Lufttemperatur hatten ihre Lebensgeister reaktiviert und auch die Verspannungen gelöst, die sie sich in der Nacht auf dem Autositz zugezogen hatte. Der winzige

Ort an der Grenze zum benachbarten Bundesland verfügte tatsächlich über einen kleinen Laden, den sie schnell ausfindig gemacht hatte.

Da er, sofern man nicht in die Stadt fahren wollte, die einzige Gelegenheit darstellte, die Dinge des täglichen Bedarfs zu besorgen, waren die Dorfbewohner vermehrt dorthin unterwegs, sie brauchte ihnen nur zu folgen. Zur Sicherheit hatte sie ihr Aussehen mit einer rotblonden Perücke ein weiteres Mal verändert. Eine Möglichkeit zum Kochen hatte sie naturgemäß nicht, weshalb sich ihre Nahrung auf Lebensmittel beschränkte musste, die man zur Not roh verzehren konnte. Groß war die Auswahl ohnehin nicht.

Als sie mit einigen Packungen Keksen, zwei Litern Vollmilch, einem Brotlaib und etwas Wurst und Käse im Arm an der Kasse anstand, hörte sie mit halbem Ohr ein Gespräch mit, dass die Kundin vor ihr mit der Ladeninhaberin führte. Solche Plaudereien waren auf den Dörfern absolut normal und ersetzten die Tageszeitung. Zumindest was das Lokalkolorit anbelangte, für das sich Ljudmila jedoch nicht interessierte. Erst, als eines jener Schlüsselworte fiel, auf das sie gedrillt war, wurde sie aufmerksam.

»... Aber wenn ich es doch sage! Der Hubschrauber flog direkt über unseren Garten, wo wir uns gerade zum Nachmittagskaffee zusammengesetzt hatten, mein Mann und ich. Der war so tief, dass ich dachte, ich könne ihn an den Kufen anfassen! Also, den Helikopter meine ich natürlich. Dann ist er gelandet, aber das konnte ich nicht mehr sehen, weil das mitten im Wald war!«

»Im Wald?«, echote die Ladeninhaberin mit einem nachdenklichen Stirnrunzeln.

»Ja genau! Ich frage mich, was der da wollte! Da ist doch nur dieses merkwürdige Haus, das beinahe wie eine Festung aussieht, mit vergitterten Fenstern und dem meterhohen Zaun! Am Montag ist das gewesen, und wegfliegen habe ich den auch nicht gesehen. Das hätten wir bei dem Lärm aber sicher mitbekommen. Ich habe immer schon vermutet, dass da etwas nicht mit rechten Dingen zugeht! Da geht es bestimmt um Drogen!«, fügte sie hinter vorgehaltener Hand hinzu.

*Das muss es sein!*, schoss es Ljudmila durch Sinn. Am liebsten hätte sie ihre Einkäufe fallen lassen und wäre sofort hinausgestürmt, aber sie durfte jetzt kein Aufsehen erregen! Sie wartete stattdessen ab, bis die Damen ihren Plausch beendet hatten, und zahlte ihre Waren. Dann lief sie, so schnell sie ihre Beine trugen, zum Auto zurück.

Jetzt bereute sie, es stehengelassen zu haben, doch im Grunde konnte sie sowieso erst in der Dunkelheit losfahren. Aufgrund der nützlichen Angaben, die sie von der schwatzhaften Kundin sozusagen zwischen den Zeilen erhalten hatte, wusste sie jetzt, wo sie zu suchen hatte. Sie musste nur hinter dem Dorf den Waldrand auf einer Strecke von vielleicht einem Kilometer abfahren, um ans Ziel zu gelangen!

\* \* \*

Sie hatte den unbefestigten Wirtschaftsweg, der zu diesem Haus führte, trotz aller Aufmerksamkeit in der mondlosen Nacht und ohne Licht, das sie sicherheitshalber ausgeschaltet ließ, zunächst übersehen. Erst, als ihr bei der dritten Runde beinahe ein Reh vor das Auto gelaufen wäre, sah sie den kaum zwei Meter breiten, baumfreien Streifen. Es war schon weit nach Mitternacht, als sie sich in respektvoller Entfernung zu dem Haus hinter den Büschen versteckte, und mit ihrem nachttauglichen Fernglas jeden Quadratzentimeter der Umgebung gewissenhaft absuchte.

Jetzt lag sie erneut hinter einem Strauch und legte sich sorgfältig die aus ihrem Wagen geholten Gegenstände zurecht. Sie sah auf die Uhr: Es war kurz vor sechs. Mit etwas Glück schlummerten die hoffentlich ahnungslosen Bewohner noch friedlich und würden den ersten Teil ihres Überfalls verschlafen. Der Rest wäre dann ein Kinderspiel, weil sie kurz darauf das Haus betreten würde!

Dieser Teil der Planung hatte ihr das größte Kopfzerbrechen bereitet. Die Fenster waren unüberwindlich, jedoch müssten die Türen bei Stromausfall oder Feuer offen sein, da man sonst eingesperrt wäre. Das Problem war auch hier die Zeit. Als sie in dem Café in Bonn das GPS-Signal empfing, war das für exakt zehn Sekunden gewesen. Vorher gab es keine Anzeige und danach war das Signal wieder verschwunden.

Nach reiflicher Überlegung war sie zu dem Schluss gelangt, dass hierfür ein Stromausfall verantwortlich war, durch den auch ein elektronischer Dämpfer zur Unterdrückung des Signals ausgefallen war. Daraus wiederum resultierte die logische Annahme, dass es in dem Haus ein Notstromaggregat gab, und dass es in etwa diese Zeit benötigte, um hochzufahren. Sie musste also zunächst einen Weg finden, die Stromzufuhr von außen zu unterbrechen.

Den für dieses Gebäude zuständigen Kabelschalt-kasten, der es mit Strom und Telefon versorgte, hatte sie gleich neben der Stelle gefunden, wo ihr das Reh vor das Auto gelaufen war. Ihn zu demolieren, wäre keine große Sache, jedoch würde sie es niemals unter zehn Sekunden schaffen, hierher zurückzulaufen!

Das Problem hatte sie mit ein bisschen Bastelarbeit und unter Verwendung einiger Gegenstände aus ihrem geplünderten Waffenarsenal gelöst. Ein letzter Blick zur Uhr belehrte sie darüber, dass es an der Zeit war, nun mit den Vorbereitungen zu beginnen, denn in fünf Minuten würde es so weit sein.

Sie legte das ultraleichte Kleinkalibergewehr aus Carbon mit Schalldämpfer und Laserzieleinrichtung an die Wange und zielte auf die Kamera an der linken Ecke der Frontseite, die in tausend Stücke zerbarst. Keine halbe Minute danach erlitten ihre Nachbarn dasselbe Schicksal. Nun mussten die Kameras an den Seiten-wänden und der Rückseite eliminiert werden. Bis zum Stromausfall waren noch vier Minuten Zeit. Mehr als ausreichend, um mit dem Bolzenschneider ein genü-gend großes Loch in den Zaun zu schneiden, sobald die da drinnen blind waren!

Der Plan sah zwei unterschiedliche Szenarien vor: Sollte man drinnen den Braten rechtzeitig riechen, würden man wahrscheinlich zu flüchten versuchen. Dafür würden man eher die Hintertür benutzen, weil dort der Helikopter stand, und ohne diesen wäre eine Flucht sinnlos. Ein anderes Fahrzeug war nämlich nicht vorhanden, jedenfalls hatte sie auf dem Grund-stück keines gesehen. Dort würden sie ihr direkt in die Arme laufen.

Die zweite Möglichkeit bestand darin, dass man zu dieser Zeit noch schlief und von der Zerstörung der Außenüberwachung einschließlich der integrierten Bewegungsmelder nichts mitbekam. Dann stünde sie pünktlich mit Beginn des von ihr gewaltsam herbeigeführten Stromausfalls an der Hintertür bereit und konnte ungesehen in das Haus schleichen. So oder so hatten die drei nicht die geringste Chance gegen sie, auch wenn zwei erfahrene Polizisten darunter waren!

Kurz hatte sie erwogen, den Tank des Helikopters anzubohren, um eine Flucht wirksam zu verhindern. Das hätte sie aber erst machen können, *nachdem* sie das Grundaggregat lahmgelegt hatte. Und das wiederum war ihr erst möglich, wenn sie alle Bewegungsmelder und Kameras ausgeschaltet hatte. Ihnen die Fluchtmöglichkeit zu nehmen, würde zwar die Jagd spannender gestalten, doch es fehlte ihr schlichtweg die Zeit dazu!

\* \* \*

**Safe House, 06:00 Uhr**

An eine dritte Variante hatte die Jägerin in ihrer Verblendung aber nicht gedacht: Dass man durch die Zerstörung der Außenkameras gewarnt war *und* sich im Haus verschanzte, wo man sich auskannte, statt im wahrsten Sinne des Wortes blind die Flucht anzutreten und der Attentäterin in die ausgebreiteten Arme zu laufen. Das Notstromaggregat befand sich ja einschließlich Kontrollen im Inneren und man hatte die Türen nur für allerhöchstens zehn Sekunden zu verteidigen, bis es ansprang.

Allerdings gab es zwei davon und man müsste sich aufteilen, was die Angelegenheit wesentlich gefährlicher machte, da dort jeder auf sich allein gestellt war. Zusätzlich hatte man auf eine Zivilperson zu achten, die außerdem das Hauptangriffsziel darstellte. Aber noch war es nicht so weit, denn man war tatsächlich ahnungslos. Jasmin Brandt deckte soeben mit Petra Unger den Frühstückstisch, als Wolfgang Müller aus dem Überwachungsraum trat, wo er die Aufnahmen der Nacht gesichtet hatte, obwohl eine Annäherung rechtzeitig vom Warnsystem gemeldet worden wäre. In einem *Safe House* schlief man niemals lange.

»Ah, Kaffee!«, zog er genüsslich den Duft des frisch aufgebrühten Getränks durch die Nase. »Genau das, was ich brauche! Draußen ist alles ruhig, wir können also ganz entspannt frühstücken!« Wie um ihn zu verhöhnen, erklang ein peitschender Knall vor dem Fenster, als die erste Kamera sich in ihre Bestandteile auflöste. Doch das wussten sie zu diesem Zeitpunkt ja noch nicht. Dennoch verging kaum eine Sekunde, bis er und Jasmin das Geräusch eingeordnet hatten. Fast zeitgleich rannten sie in den Beobachtungsraum.

Dort gab es zwei großformatige Bildschirme, die jeweils für vier der Überwachungskameras zuständig waren. Eins der Bildfenster war jetzt schwarz, und in dieser Sekunde verabschiedete sich mit einem Knall die zweite Kamera. Jasmin und Wolfgang setzten sich an ihre Plätze und scannten hektisch die restlichen Aufnahmen. Nichts.

»Da schießt jemand auf unsere Kameras wie auf Tontauben!«, brachte Wolfgang es grimmig auf den Punkt. »Und der weiß ganz genau, wie er das bewerkstelligen kann, ohne in deren Fokus zu gelangen! Ich kann jedenfalls dort draußen niemanden sehen!« In diesem Moment zerbarst lautstark die dritte Kamera, jetzt waren sie auf der Frontseite komplett blind!

»Das kann ja nur die Sokolowa sein!«, korrigierte Jasmin ihn. »Doch aus welchem Grund tut sie das? In das Haus kann sie nicht, wir sind also hier sicher! Sie muss jedoch einen Plan verfolgen. Was kann sie aber damit bezwecken?«

Wolfgang sah auf die Uhr und griff zu Schutzweste und Waffe. »Eine Minute ist seit dem ersten Schuss vergangen. Ich befürchte, dass jeden Moment weitere Systeme ausfallen werden.« Wie auf Kommando traf es die Kamera auf der linken Seite. »Wer so vorgeht, weiß auch genau, wie er in das Haus gelangen kann. Wir müssen uns darauf vorbereiten, die Zugänge zu verteidigen. Wenn meine Annahme stimmt, wird jeden Augenblick der Strom ausfallen!«

»Wir sind nur zu zweit und müssen uns zusätzlich um unseren Schützling kümmern! Wir wissen auch nicht, ob sie von vorne oder hinten kommt, und für einen allein ist es zu gefährlich, da wir uns aufteilen müssten. Sie hat offenbar ein Präzisionsgewehr und kann hervorragend damit umgehen, wie die Schüsse auf die Kameras zeigen! Wir können die Türen auf gar keinen Fall verteidigen, ich schlage daher vor, wir ziehen uns in den Panikraum zurück, bis die Sache geklärt ist oder Hilfe kommt. Das muss aber schnell gehen, wir haben keine Zeit zu verlieren!«

»Dort könnte sie uns problemlos aushungern, da sie nur vor dem Eingang zu warten braucht, bis uns die Luft ausgeht«, überlegte er. »Der Raum ist hermetisch abgeschlossen und nur für maximal ein paar Stunden Benutzung ausgelegt.« Er zog sein aufgrund des Dämpfers derzeit eigentlich nutzloses Handy aus der Tasche. »Andererseits ist dieser Panikraum vielleicht unsere einzige Chance, *sie* stattdessen zu erwischen!«

\* \* \*

Die Jägerin kauerte zwischen den Kufen des Helikopters und beobachtete angestrengt den Hintereingang, wo jeden Augenblick die bewaffneten Polizisten herausstürmen konnten. Jedenfalls, sofern sie nicht schliefen und von dem Ausfall ihrer Überwachungssysteme etwas mitbekommen hatten. Da sie aber die letzte Kamera vor zwei Minuten eliminiert hatte und alles ruhig blieb, erwartete sie von dieser Seite keinen Widerstand und bereitete sich darauf vor, das Haus zu betreten. Außer ihrem geliebten Messer führte sie in einem Beutel noch einige andere Nahkampfwaffen mit sich. Jeden Moment musste es so weit sein!

Beim Aktivieren des Zeitzünders im Kabelverteiler hatte sie an ihrer Digitaluhr einen Timer gestellt, der sich jetzt mit einem zweimaligen Piepen meldete. Sie sprang sofort wie von der Sehne geschnellt aus ihrer Deckung und legte die Strecke bis zur Hintertür mit einigen großen Sprüngen in drei Sekunden zurück. Blieben noch sieben!

Ein Druck mit der linken Hand – in der anderen hielt sie eine Sprühflasche mit Tränengas – und die Tür ging einen Spalt weit auf! Noch sechs Sekunden! Spätestens dann würde man aufmerksam werden, da das Anspringen des Notstromaggregats sicher nicht völlig lautlos ablaufen würde. Sie stieß die Tür ganz auf und sah sich in dem Flur dahinter um. Geradeaus ging es bestimmt in den Wohnbereich, rechts war die Treppe nach oben und links eine, die in den Keller führte. Die Tür stand offen und von unten ertönten unmissverständlich die Stimmen von drei Personen. Noch vier Sekunden. Jetzt musste es schnell gehen!

Diese Vollidioten machten es ihr wirklich leicht! Sie waren offenbar alle dort unten versammelt, denn sie konnte deutlich ein sonores männliches Organ ausmachen, wahrscheinlich die des Piloten. Ihn hatte sie nie zuvor sprechen hören. Des Weiteren die kleine Kommissarin, von der sie bei ihrer letzten Begegnung angeschossen worden war, und die unverkennbare Stimme ihrer Zielperson. Sie stritten sich darüber, ob sie den Panikraum benutzen sollten oder nicht. Ihr Opfer hatte augenscheinlich Angst vor fensterlosen Räumen und weigerte sich standhaft hineinzugehen, während die beiden anderen auf sie einredeten.

Jeden Augenblick würde das Notstromaggregat anspringen und die Türen wären verschlossen, doch das war ohne Bedeutung. Sie musste *umgehend* etwas unternehmen, bevor die drei diesen Panikraum, der sich wohl im Keller befand, betreten und hinter sich verriegelt hatten. Waren sie erst dort drin, war die Jagd vorbei, denn Ljudmila konnte nicht warten, bis ihnen irgendwann die Luft ausging und sie hervorgekrochen kamen. Die Polizei war ihr dicht auf den Fersen und sie musste von hier verschwinden. Es war zudem anzunehmen, dass den Ermittlungsbehörden die Lage des Hauses bekannt war und sie eher früher als später hier auftauchen würden!

Es widerstrebte ihr zwar aus tiefstem Jägerherzen, welches Fallen aller Art als extrem ehrlos und gemein verachtete, doch hier ging es wohl nicht anders. Die dort unten wussten zwar nichts von ihrer Anwesenheit, würden sie aber sofort kommen sehen und mit vorgehaltener Schusswaffe in Empfang nehmen. Sie hatte nicht vor, das jetzt noch zu vergeigen.

Sie griff in ihren Beutel und zog eine Schockgranate hervor, die sie im Bogen die Kellertreppe hinunterwarf. Die Augen fest geschlossen und beide Hände auf die Ohren gepresst, wartete sie die Sekunden bis zur Zündung ab. Eine zweite Granate würde ihr jetzt nichts mehr nutzen, sie ließ den hinderlichen Beutel fallen und stürmte mit gezücktem Messer die Stufen hinunter. Ihre drei Opfer waren für wenigstens eine Minute außer Gefecht gesetzt und würden für eine Weile orientierungslos sein. Ein beinahe zu leichtes Spiel für sie!

# Kapitel 13

*Was geschah im Safe House?*

»Bevor wir uns den Ermittlungsergebnissen von Freitag zuwenden – sofern das unter dem Druck der Ereignisse heute überhaupt noch der Fall sein wird – muss ich euch mitteilen, dass der Kontakt zu Jasmin abgerissen und ihr Schicksal und das ihrer Begleiter seit gestern ungewiss ist«, verkündete Tobias Heller auf der unmittelbar nach Dienstbeginn einberufenen Dienstbesprechung. Man hatte sich schon gedacht, dass es einen ungewöhnlich triftigen Grund geben müsse, doch *damit* hatte keiner gerechnet. Er blickte in drei erschrockene Gesichter, Erik befand sich ja ab heute im Urlaub.

»Nachdem Jasmin gestern ihren täglichen Bericht versäumt hatte, der auch am Wochenende fällig war, habe ich mich mit dem LKA in Verbindung gesetzt, um die Geheimnummer des Festnetzanschlusses des *Sicheren Hauses* zu erfragen. Nach einigem Hin und Her gab man sie mir, aber der Anschluss war tot, und das ist er immer noch!« Er legte seine Stirn in tiefe Sorgenfalten, die man bei ihm so noch nie gesehen hatte. »Ich bat dann den Leiter der Abteilung darum, einige Beamte dorthin zu entsenden, was er mir für heute Vormittag zugesagt hatte. Sie dürften mittlerweile angekommen sein, ich erwarte jeden Augenblick eine Rückmeldung.«

»Lungern die denn nicht sowieso da herum, weil jemand die Sokolowa in der Gegend gesehen hatte?«, erinnerte sich Vanessa Fuchs. Sie war mit Jasmin Brandt eng befreundet und machte sich die meisten Sorgen. »Warum haben die Kollegen denn dort nicht mal vorbeigeschaut? Dass diese Frau irgendwann da auftauchen würde, musste doch selbst diesen Leuten sonnenklar sein!«

»Es hat wohl eine bedauerliche Panne gegeben«, hob Tobias die Schultern. »Die LKA-Beamten, die der Fahndungsmeldung nachgingen, wussten von der Aktion nichts und waren auch über den Standort des Hauses nicht informiert. Offenbar reichte dafür ihre Gehaltsgruppe nicht aus. Sie haben lediglich Straßensperren errichtet und jeden kontrolliert, der aus der Gegend herausfahren wollte. Am Samstag sind sie dann ganz abgerückt.«

Dass sein auf Lautlos gestelltes Handy vor ihm auf dem Tisch vibrierte, schien er gar nicht zu bemerken, was ebenfalls für die Erschütterung des SOKO-Chefs sprach. Auch, wenn er es nicht explizit gesagt hatte, befürchtete er dennoch das Schlimmste! Immerhin hatte er wie die anderen die Sokolowa am Abflugplatz vor einer Woche in Aktion gesehen! »Willst du nicht drangehen?«, holte ihn Martin Weber in die Wirklichkeit zurück. Fahrig ergriff er sein Telefon und nahm das Gespräch an.

»Heller?«, meldete er sich und hörte eine Weile der Stimme am anderen Ende zu. »Leer, sagen Sie? Und was ist mit dem Helikopter? Nein, hinter dem Haus! Dort müsste ein Hubschrauber stehen! Nicht? Und das Haus stand offen, als sie ankamen? Haben Sie vielen Dank,

Herr Hauptkommissar. Würden Sie mir bitte noch einen Gefallen tun und das Umfeld des Hauses forensisch untersuchen lassen? Meine Leute gelten nämlich ab sofort als verschollen, und ich will wissen, was passiert ist!«

»Ihr habt es ja mitbekommen«, wandte er sich mit Grabesstimme an seine Ermittler. »Das Haus ist stromlos und steht leer. Der Diesel, der als Notstromaggregat dient, ist wegen Treibstoffmangels aus. Da diese Geräte etwa vierundzwanzig Stunden mit einer Tankfüllung laufen, muss er seit mindestens gestern Morgen in Betrieb gewesen sein! Der Helikopter ist ebenfalls weg und im Keller fanden die Kollegen die Überreste von zwei Schockgranaten und ein Handy, auf dessen Rückseite ein Aufkleber angebracht ist, auf dem ›Müller‹ steht. Es dürfte Wolfgang gehören. Ach ja, in den Zaun wurde ein Loch geschnitten, groß genug, einen Menschen durchzulassen, und die Überwachungskameras sind zu Schrott geschossen!«

»Das alles lässt im Grunde nur einen Schluss zu«, ließ sich Martin vernehmen, der immer wieder gerne seinen analytischen Verstand unter Beweis zu stellen versuchte. »Die Sokolowa findet das Haus, zerstört irgendwie die Kameras, worauf die Insassen blind sind, führt auf irgendeine Weise einen Stromausfall herbei und kann das ungesicherte Gebäude betreten, wobei sie die drei eventuell sogar im Schlaf überrumpelt. Sie nimmt eine der Frauen als Geisel und zwingt den Piloten, sie außer Landes zu fliegen.«

»Gut kombiniert, *Columbo*!«, ertönte eine lachende Stimme vom Eingang her. »Aber leider falsch! Es gibt nämlich noch eine andere Möglichkeit!«

*  *  *

»Jasmin!«, ächzte Tobias, die drei anderen mussten sich erst umdrehen, weil sie alle mit dem Rücken zur Tür saßen. Jonas und Martin starrten die Kollegin mit aufgerissenen Augen an wie einen Geist, nur Vanessa sprang sofort auf und umarmte die unverhofft heimgekehrte Freundin stürmisch.

»Lass dich ansehen!«, rief sie und schob Jasmin auf Armeslänge von sich. »Ist noch alles dran«, stellte sie dann zufrieden fest und zog sie zum Tisch. »Du hast uns einen Riesenschrecken eingejagt, wo kommst du denn jetzt bloß her?«

Jasmin nahm mit sichtlicher Erleichterung ihren Platz ein. Sie hatte anscheinend mit einem Donnerwetter gerechnet. »Jetzt gerade oder überhaupt? Jetzt komme ich nämlich von unten, wo ich eine gewisse Dame in der Arrestzelle abgeliefert habe, und vorher war ich in Lohmar bei Alexander von Kaltenbach, wo Wolfgang zuerst den geliehenen Helikopter abgestellt hat, bevor er erst Petra Unger nach Hause und dann mich mit Ljudmila hierhergefahren hat. Und wo ich *davor* war, wisst ihr ja alle!«

»In der Tat«, nahm Tobias die Gelegenheit wahr. »Und uns ist auch bekannt, in welchem Zustand ihr das Haus zurückgelassen habt! Warum habt ihr euch nicht mehr gemeldet? Ich warte auf eine Erklärung!« Das war zwar nicht das befürchtete Unwetter, kam diesem aber gefährlich nahe.

»Das ist eine lange Geschichte«, fing Jasmin an, zu erzählen. »Zunächst einmal kann ich Martin sagen, dass er mit den ersten beiden Vermutungen voll ins

Schwarze getroffen hat. Ljudmila Sokolowa zerschoss tatsächlich gestern in aller Frühe die Kameras und verschaffte sich Zutritt in das Haus, nachdem sie die Stromzufuhr von außen sabotiert hatte. Danach lief aber alles vollkommen anders ab. Wir waren gerade dabei, das Frühstück zu machen, als die erste Kamera sich mit einem lauten Knall verabschiedete. Hört zu, was danach geschah!«

\* \* \*

### Safe House, Sonntag, 06:03 Uhr

Draußen zerschoss gerade eine offenbar schwerbewaffnete, definitiv aber extrem wahnsinnige Killerin eine unserer Kameras nach der anderen. Wir hörten zwar nicht ihre Schüsse, doch das Splittern war nicht zu überhören. Sobald die Letzte zerstört war, würde sie das Haus stürmen, das war mal sicher!

Meiner Schätzung nach würde das in spätestens drei oder vier Minuten der Fall sein, und dieser Kerl stand wie ein Fels in der Brandung vor der Kellertür und hantierte mit seinem Handy herum, als könne er Ljudmila dadurch aufhalten! Doch ein Blick in sein Gesicht sagte mir, dass dieser Mann einen Plan hatte, wie wir aus diesem Schlamassel herauskämen. Seine Augen sprühten förmlich Funken vor Abenteuerlust!

»Ich brauche dein Telefon ebenfalls«, sagte er und streckte fordernd die Hand danach aus. Während er auch mein Handy einschaltete, weihte er mich hastig in seinen verwegenen Plan ein. Der Kerl hatte vielleicht eine Seelenruhe am Leib! Jeden Moment konnte der Strom ausfallen und wir wären dann schutzlos, doch er griff zuerst in seine Hosentasche und zog eine Fernbedienung heraus, auf der er einen roten Knopf drückte. Ich sollte später erfahren, dass er damit den Dämpfer ausgeschaltet hatte. Der würde zwar auch mit dem Stromausfall deaktiviert, aber nur für zehn Sekunden. Die ordnungsgemäße Funktion der beiden Handys stellte jedoch einen zentralen Punkt in seiner abstrusen Idee dar.

Während ich die widerstrebende Petra Unger mit mir nach oben zerrte und dort hastig in unseren Plan einweihte, rief Wolfgang sein Handy mit meinem an und deponierte sein Telefon mit offener Leitung auf der untersten Stufe der Kellertreppe. Er schaffte es gerade noch, zu uns zu kommen, als tatsächlich der Strom ausfiel und nur wenige Sekunden später eine Gestalt in den Hausflur schlich. Ljudmila!

Wir gingen in eins der Zimmer und begannen mit der improvisierten Show. Wolfgang sagte etwas in mein Handy, worauf seine Stimme aus dem auf volle Lautstärke gestellten Telefon im Keller zu hören war. Er selbst wurde dadurch wirksam übertönt. Ljudmila sollte sich in der Annahme, wir befänden uns alle da unten, der für sie näheren Tonquelle zuwenden. Das konnten wir zunächst zwar nur vermuten, nach oben kam sie jedenfalls nicht. Zur Sicherheit trugen wir Schutzwesten und Wolfgang und ich hielten unsere Pistolen in den Händen. Sollte unser Plan nicht funktionieren, wovon ich eigentlich ausging, wollten wir ihr einen heißen Empfang bereiten!

Dieser Plan sah vor, dass wir alle jetzt etwas sagen mussten, und zu meiner Freude sprang unser Schützling sofort begeistert mit ein und improvisierte einen Widerspruch zu der Aufforderung, den Panikraum zu betreten, auf den ich ihr dann antwortete. Wäre die Lage nicht so verdammt ernst gewesen, hätte ich laut gelacht. Ihr hättet uns sehen sollen, wie wir drei um mein Handy herumstanden und ein Hörspiel veranstalteten!

Da wir von unserer Position nicht sehen konnten, was Ljudmila machte, wollte ich vorsichtig ein paar Stufen nach unten schleichen, um zu schauen, ob sie schon in den Keller gegangen war. Dafür musste ich nur wissen, ob sie noch im Flur war, denn den Durchgang zum Wohnbereich hatten wir vorsorglich abgeschlossen, sodass sie diesen schon hätte aufbrechen müssen. Meine Aufgabe wäre dann gewesen, die Tür hinter ihr zu verschließen. Diese war ziemlich massiv und würde ihrem Ansturm lange genug standhalten, bis ein SEK angerückt wäre. So weit der Plan, doch es kam anders.

Ein ohrenbetäubender Knall ertönte plötzlich aus dem Keller. Er wurde durch die Mauern zum Glück etwas abgemildert, sonst hätte er uns taub gemacht. Trotzdem klingelten meine Ohren danach minutenlang. Ich sah Ljudmila in den Keller laufen, nachdem sie wohl gerade eine Schockgranate gezündet hatte. Wolfgang sprang ebenfalls die Treppe herunter. Doch statt wie geplant die Tür zu verbarrikadieren, warf er nun seinerseits eine Blendgranate aus dem Fundus des *Sicheren Hauses* hinter Ljudmila her, die sich jetzt erwiesenermaßen im Keller befand. Sie anschließend gemeinsam zu überwältigen, war ein Kinderspiel. In ihrer grenzenlosen Selbstüberschätzung hatte sie sich in ihrer eigenen Falle gefangen!

\*\*\*

»Die Waffen und die übrige Ausrüstung muss sie sich irgendwann später beschafft haben«, überlegte Tobias, nachdem Jasmin geendet hatte. »Nicht auszudenken, wie die Aktion in Kaldauen abgelaufen wäre, wenn sie ein Gewehr gehabt hätte!«

»Später fanden wir ihr offenbar gestohlenes Auto, einen Suzuki mit Bonner Kennzeichen, neben einem demolierten Schaltkasten, der für die Versorgung des Hauses mit Strom und Telefon zuständig war«, beendete Jasmin ihren detaillierten Bericht. »Sein Inneres musste enormer Hitze ausgesetzt gewesen sein, denn da war alles verschmort und nur noch ein einziger Klumpen. Entsprechende Brandsätze, Zündvorrichtungen und Waffen fanden wir im Wagen.«

»Ein Suzuki, sagtest du?«, unterbrach Vanessa sie, während sie ihren Bericht von Freitag durchlas. »Der ist aber nicht unter den als gestohlenen gemeldeten Fahrzeugen, anscheinend wurde der Diebstahl noch nicht bemerkt.«

»Mich würde viel mehr interessieren, warum ihr das dermaßen kompliziert gemacht habt!«, mischte sich Jonas ein. »Ihr hättet doch den Panikraum selbst benutzen können und von dort in aller Ruhe ein SEK anfordern können, nachdem der Dämpfer deaktiviert war!«

»Kann mich mal einer kneifen?«, grinste Martin. »Ich muss träumen, oder gibt es tatsächlich etwas, das mein geschätzter Kollege *nicht* weiß? Panikräume sind in der Regel rundum hermetisch abgeschlossen und haben aus demselben Grund auch einen eigenen, begrenzten Vorrat Atemluft, um Giftgaseinleitungen unmöglich zu machen. Deshalb funktionieren auch keine Handys, da es sich um ein geschlossenes Stahlgehäuse handelt!« Er lehnte sich zurück und badete förmlich in dem verblüfften Gesicht des Partners.

»Das ist alles so weit richtig!«, nickte Jasmin. »Und das Festnetztelefon, das dort installiert ist, war durch den zerstörten Schaltkasten ja ebenfalls funktionsunfähig. Es blieben uns also nur zwei Möglichkeiten: zu kämpfen oder es mit einer List zu versuchen!«

»List? Eine Räuberpistole war das!«, brauste Tobias auf. *Die Denise und mir jedoch zu unseren Glanzzeiten auch hätte einfallen können*, dachte er selbstkritisch. *Das Riesenbaby hat lange genug mit uns zusammengearbeitet, um auf solchen Unsinn zu kommen!* »Zumindest Wolfgang hätte ich etwas mehr Verstand zugetraut«, kritisierte Tobias ihr Verhalten dennoch kopfschüttelnd. Insgeheim war er über den glimpflichen und äußerst positiven Ausgang froh, aber das durfte er ihr als Vorgesetzter ja nicht zeigen. »Mit ihm werde ich ebenfalls ein Wörtchen zu reden haben! Nachdem die Geschichte unbegreiflicherweise gut ausgegangen war, hättet ihr aber doch das LKA anrufen können!«

»Und ihnen die Lorbeeren überlassen? Was haben die denn Großartiges geleistet? Wir hingegen hatten die Sokolowa ganz alleine zur Strecke gebracht und wollten auch die Früchte unserer Arbeit ernten! Jetzt haben *wir* sie in Gewahrsam und können ihnen eine lange Nase drehen!«

»Das will ich als Argument gelten lassen«, lächelte der SOKO-Chef versöhnlich. »Außerdem kommst du wie gerufen, jetzt, wo Erik für zwei Wochen ausfällt und wir immer noch einen Mordfall zu lösen haben. Dabei können wir deine Fähigkeiten ganz gut gebrauchen! Eine letzte Frage hätte ich aber noch: Das war doch am Sonntagmorgen, wieso tauchst du erst jetzt hier auf, einen Tag später? Der Flug hierher dauert schließlich keine halbe Stunde! Und warum hast du nicht angerufen? Dann hätte ich nicht Himmel und Hölle in Bewegung setzen müssen!«

»Das sind eigentlich zwei Fragen, Chef!«, konterte sie frech, duckte sich aber sofort, als sich seine Stirn erneut umwölkte. »Ist ja gut! Die erste Frage ist leicht zu beantworten. Ljudmila ist wahrscheinlich durch ein Loch auf das Grundstück gelangt, das sie hinter dem Haus in den Zaun geschnitten hatte. Wir fanden dort einen Bolzenschneider und ein Scharfschützengewehr mit Laserzieleinrichtung und Schalldämpfer. Damit wird sie die Überwachungskameras zerstört haben. Außerdem gab es Sohlenabdrücke am Helikopter und zwischen den Kufen. Vermutlich hatte sie von dort den Hintereingang belauert, bis der Brandsatz zündete und der Strom ausfiel.«

Sie hob entschuldigend die Schultern. »Es hätte aber auch ganz gut sein können, dass sie irgendwas mit dem Hubschrauber angestellt hatte. Wir haben sie selbstverständlich danach gefragt, erhielten aber nur eisernes Schweigen zur Antwort, du kennst das ja von deiner eigenen Vernehmung damals. Deshalb nahm Wolfgang zuerst eine gewissenhafte Inspektion vor. Weil es darüber dunkel geworden war, sind wir am nächsten Morgen losgeflogen, da der Diesel noch Strom lieferte.«

»Okay«, dehnte Tobias und sah sie abwartend an.

»Was den Anruf betrifft ... Wolfgangs Handy ist bei dieser Aktion zu Bruch gegangen, Ljudmila muss darauf getreten sein, als sie in den Keller stürmte. Es lag ja auf der Treppe. Und mein Handy ...? Na ja, erst hatte ich bei der ganzen Aufregung vergessen, dich anzurufen und als ich daran dachte, war der Akku leer. Ein Ladegerät hatte ich nicht mitgenommen, da ich nicht glaubte, eins zu benötigen!«

»Wie oft muss ich euch noch eintrichtern, dass ihr auf diese Sachen achten müsst?«, seufzte Tobias. »Es ist in jeder Lage von allergrößter Wichtigkeit, einen verlässlichen Partner an seiner Seite zu haben, eine ordnungsgemäß funktionierende Pistole im Holster und ein voll aufgeladenes Telefon in der Tasche! Drei kleine Regeln. Das kann doch nicht so schwierig sein! Ach, übrigens«, fügte er lächelnd hinzu. »Ihr hättet auch einfach Verstärkung anfordern können, als der Dämpfer ausgeschaltet war, und anschließend in den Panikraum gehen können! Hat daran einer gedacht?«

»Äh ...«, machte Jasmin und klappte den Mund zu. Es war ein Bild für die Götter, wie sie abwechselnd ihn und die feixenden Kollegen sprachlos anstarrte. Nur Vanessa zeigte sich solidarisch und enthielt sich der allgemeinen Belustigung.

# Kapitel 14

*Die neuesten Erkenntnisse*

»Okay, kommen wir nun zur Tagesordnung!«, fuhr Tobias fort, nachdem er sich genug über den entgeisterten Gesichtsausdruck der Kommissarin amüsiert hatte. »Du kannst dir aber heute ruhig freinehmen«, bot er ihr an. »Immerhin warst du eine ganze Woche rund um die Uhr im Dienst!«

»Lass nur, das war fast wie Urlaub«, winkte sie ab. »Du hast selbst gesagt, dass ich gebraucht werde, und ich brenne darauf, endlich wieder was Produktives zu tun!« *Und die Schokoriegel aus der Schreibtischschublade zu befreien, die ich vergessen hatte mitzunehmen*, fügte sie in Gedanken hinzu.

»Soll mir recht sein«, brummte Tobias. »Lass dich von Vanessa nachher auf den Stand der Ermittlungen bringen. Viel gibt es ohnehin nicht dazu zu sagen, da wir erst am Donnerstag feststellen mussten, dass wir tagelang einer falschen Spur gefolgt sind. Wir fangen also jetzt wieder ganz von vorne an! Vanessa, du wolltest mit Erik am Freitag herauszufinden versuchen, wo Karl-Heinz Stumpf den Unfall verursacht haben könnte. Ich sehe jedoch keinen Bericht in der Recherchedatenbank!«

»Ich habe selbst gesehen, dass Erik ihn am Freitag geschrieben hat«, wunderte sich die Kommissarin. »Es war seine letzte Handlung vor dem Urlaub, vielleicht war er nicht mehr so ganz bei der Sache und hat ihn unter einem falschen Suchbegriff abgelegt. Du weißt aber doch, dass wir im Grunde überhaupt nichts herausgefunden haben! Wir fanden zwar ein Stück Blech, das bei dem Zusammenstoß vom Unfallfahrzeug abgerissen worden sein könnte, jedoch kein Blut. Erik hatte noch eine genügend große Menge von dem selbstgemachten Luminol, das er dort großzügig versprühte. Entweder ist das Teil von einem anderen Fahrzeug abgefallen, oder Stumpf hat es irgendwann später verloren. In beiden Fällen nützt uns aber der Fund nichts!«

»Da bin ich anderer Meinung!«, ließ sich Jasmin vernehmen. Sie hatte während Vanessas Vortrag in der Wissensdatenbank gestöbert und war über den von Tobias erstellten Stadtplanausschnitt mit den beiden möglichen Routen gestolpert, die der Unfallfahrer genommen haben könnte. Gleichzeitig stellte sie damit einmal mehr ihre Fähigkeit zum Multitasking unter Beweis. »Sofern das Teil von seinem Fahrzeug stammt, ist es nämlich ziemlich gleich, *wann* er es verloren hat. Es wird auf jeden Fall *während* des Unfalls oder aber *nachher* gewesen sein. Und damit können wir nicht nur einen der infrage kommenden Wege ausschließen, was die Suche nach weiteren Hinweisen praktisch auf die Hälfte der Strecke reduziert, sondern wir kennen jetzt auch die *Richtung*, in der wir suchen müssen!«

»Klar, das kann dann nur die Straße von dort, wo wir dieses Teil gefunden haben, bis zurück zur Dorfschänke sein, von wo Karl-Heinz Stumpf gekommen ist!«, erkannte Vanessa nun ebenfalls das Offensichtliche an der Sache. »Jasmin, du bist ein Schatz! Was würden wir ohne deinen messerscharfen Verstand bloß machen?«

»Jetzt trag mal nicht gleich so dick auf!«, knurrte Martin. »Schuldest du ihr Geld? Diese Lobhudelei ist ja nicht zum Aushalten! Da wären wir nämlich auch noch selbst drauf gekommen! Solange wir aber keine zielführenderen Anhaltspunkte, wie beispielsweise einen Namen haben, nutzt uns das sowieso nichts! Stattdessen haben wir nur einen E.T.«

»Den Außerirdischen?«, grinste Jasmin. Es brachte ihr einen grimmigen Blick des Hauptkommissars ein, obwohl er den Witz seinem Partner gegenüber selbst benutzt hatte.

Tobias lächelte still in sich hinein. Was hatte er die erfrischend vorlaute Art der Kommissarin vermisst! »Diese beiden Buchstaben fanden Jonas und Martin auf Maiers Terminkalender für den Tattag«, erklärte er ihr. »Leider wohnt auf der ganzen Strecke, die ich auf diesem Plan markiert habe, außer einer betagten Dame von zweiundneunzig Jahren niemand, auf den die Initialen zutreffen! In dem Kalender gab es übrigens noch weitere kryptische Einträge dieser Art, sie haben eventuell alle miteinander zu tun! Was dieses Autoteil betrifft, werden wir hoffentlich bald wissen, ob es von Stumpfs Wagen ist. In der Forensik wird es gerade auf übereinstimmende Merkmale wie Metalllegierung, Alter und so weiter untersucht.«

»Für die Abkürzungen muss es irgendwo eine Art ›Anleitung‹ geben«, vermutete Jonas. »Wenn Maier nicht gerade ein Wahnsinnsgedächtnis hatte, wird er das sicher in seinem Computer gespeichert haben.«

»Sobald Amara ihn geknackt hat, nehmt ihr euch das Teil gründlich vor«, nickte Tobias. »Checkt auch seine Finanzen. Irgendetwas sagt mir, dass die etwas mit seinem Tod zu tun haben könnten.«

Er hielt ein Dokument hoch. »Das habe ich soeben aus der Forensik erhalten. Man hat in der Wohnung keine Fremdspuren gefunden, was ungewöhnlich ist. Maier hat demnach entweder gründlich geputzt oder niemals Besuch gehabt.«

»Du hast den Schweinestall nicht gesehen, Chef«, grinste Martin. »Dort ist mit Ausnahme des Arbeitszimmers seit Jahren nicht geputzt worden. Es würde mich sehr wundern, wenn da jemand freiwillig einen Fuß hineinsetzen würde! Der Eigentümer ist jedenfalls sofort geflüchtet. Es war ja nicht nur der Dreck, überall lagen leere Schnapsflaschen herum!«

»Richtig. Und deshalb werdet ihr in der Hinsicht ebenfalls ermitteln. Sein exzessiver Alkoholkonsum könnte durchaus in einem gewissen Zusammenhang mit der Tat stehen. Ihr beide«, wandte Tobias sich an die Kommissarinnen, »sucht nach Entsprechungen der insgesamt vier Initialen aus dem Terminkalender in den Einwohnerregistern, oder was die Buchstaben auch bedeuten mögen. Ich weiß, dass es nicht wenige sein werden, aber irgendwo müssen wir ja schließlich anfangen!«

Er blickte Jasmin an und seufzte theatralisch. »Auf mich wartet die höchst unangenehme Aufgabe, das LKA über die Festnahme der Sokolowa in Kenntnis zu setzen und mir eine einigermaßen plausible Ausrede einfallen zu lassen, aus welchen Grund wir sie nicht schon gestern benachrichtigt haben!«

In dem Großraumbüro waren die Stellwände zur Raumtrennung so angebracht, dass über Eck immer eine kleine Lücke blieb, durch die man zur Not – und wenn man schlank war – die jeweilige Nachbarzelle betreten konnte. Meist ging man aber außen herum, schon allein, um ein Mindestmaß an Privatsphäre zu wahren. Martin steckte jetzt durch diese Lücke den Kopf zu Jasmin und Vanessa herein: »Amara braucht noch eine Weile. Bis sie mit dem Computer fertig ist, sind Jonas und ich mal kurz raus!«, meldete er ihnen. »Tobias weiß Bescheid!« Dann war er verschwunden.

Jasmin kaute immer noch an der unterschwelligen Kritik ihres Vorgesetzten vorhin in der Besprechung. »Tobias hat gut reden!«, grummelte sie. »Er war nicht dabei, als diese Wahnsinnige die Kameras zerschoss und sich dann anschickte, das Haus zu stürmen! Wir wussten ja nicht einmal, ob wir es nur mit ihr allein zu tun hatten oder ob sie Unterstützung hatte! Sie hätte ebenso gut von vorne wie von hinten kommen können. Oder von beiden Seiten, falls sie nicht allein war! Wir hatten bestenfalls ein paar Minuten für eine Entscheidung, und außerdem waren wir aus der Luft dorthin gelangt und kannten die postalische Adresse gar nicht. Wie sollten wir in dieser kurzen Zeit ein SEK anfordern und den Leuten erklären, wo sie uns finden? Wir hatten eine Zivilperson zu beschützen, schon vergessen?«

»Der Chef hat das sicher nicht so gemeint«, lachte Vanessa über ihren Gefühlsausbruch. »Aber du musst zugeben, dass das mit den beiden Handys eine reichlich abenteuerliche Aktion war! Also, *ich* wäre auf so einen Unfug im Leben nicht gekommen! So, und jetzt iss ein Stück Schokolade und dann suchen wir alle Namen aus den Melderegistern heraus, die E.T., A.K., L.B. und K.D. als Initialen haben!«

»Das sind doch bestimmt Hunderte, damit werden wir sicher tagelang zu tun haben und der Nutzen ist ohnehin fraglich! Ich weiß nicht, was der Chef sich dabei gedacht hat!«

»Etwas anderes haben wir momentan nicht, es sei denn, in Maiers Computer gibt es tatsächlich noch Hinweise dazu. Da müssen wir abwarten, ob Martin und Jonas was finden. Außerdem hast du es selbst so gewählt. Immerhin hatte Tobias dir einen freien Tag angeboten, aber du wolltest ja unbedingt arbeiten! So billig kommst du mir sowieso nicht davon, du musst mir in der Mittagspause haarklein erzählen, wie das in dieser Hütte so abgegangen ist! Ach ja, bevor ich es vergesse«, fügte sie noch leise, mit einem feuchten Augenzwinkern hinzu. »Ich bin froh, dass du wieder da bist und das Abenteuer heil überstanden hast! Dir ist hoffentlich klar, dass du dieser Ljudmila jetzt zum zweiten Mal in die Quere gekommen bist? Damit hast du sie dir endgültig zur Feindin gemacht!«

Jasmin ließ die Hände wieder sinken, die bereits über der Tastatur ihres Computers geschwebt hatten. Sie war mit einem Mal sehr nachdenklich geworden. »Weißt du, unsere Aktion war nicht die Einzige, die etwas fragwürdig war«, gestand sie ihrer Freundin. »Ich denke, wenn Ljudmila Sokolowa nicht so durchgeknallt wäre, hätten wir nicht die geringste Chance gegen sie gehabt. Auch nicht beim ersten Mal!«

»Ich weiß nicht, ob das ihren geistigen Zustand so richtig beschreibt. Man hat ihr in der Psychiatrie eine dissoziative Identitätsstörung attestiert, also eine Art multiple Persönlichkeit. Vielleicht wechseln sich ihre beiden Identitäten ständig ab, was ihre kompromisslose Vorgehensweise einerseits erklären würde und andererseits die irrationalen Handlungen.«

»Das ist mir egal, ich will dieser Person jedenfalls nie wieder über den Weg laufen!«

»Das wirst du hoffentlich auch nicht. Ich könnte mir nämlich vorstellen, dass es dann weniger erfreulich ausgehen dürfte. Was die Namen betrifft, werden das vielleicht nicht so viele sein. Wir konzentrieren uns zunächst, wie Tobias es vorgeschlagen hatte, auf das markierte Planquadrat. Wenn wir die Hausauskunft benutzen, sind wir in einer Stunde durch. Die alte Dame können wir sowieso aussortieren.«

»Wieso das denn? Alter schützt vor Morden nicht! Und für einen hinterhältigen Angriff mit einer Giftspritze braucht man keine große Kraft. Wenn ich es mir recht überlege, wäre ein kräftiger Kerl wie Maier in diesem Fall sogar besonders arglos gewesen!«

»Da ist ja unsere Heldin!«, ertönte eine rauchige Stimme und enthob Vanessa zunächst einer Antwort. Amara Jones stand im Durchgang und lachte über das ganze ebenholzfarbene Gesicht, wobei die weißen Zähne und Augäpfel einen sehr dekorativen Kontrast dazu bildeten. Aber das war man von der stets gutgelaunten Spezialistin seit Jahren gewohnt. »Das ganze Haus spricht heute davon, dass du eine wahnsinnige Mörderin im Alleingang zur Strecke gebracht hast!«

»Es gibt halt nichts Schnelleres als den Flurfunk!«, antwortete Jasmin seufzend. Die Aufmerksamkeit, die sie erregte, war ihr sichtlich peinlich. Vielleicht hätte sie heute doch zu Hause zu bleiben sollen. »So ganz stimmt das aber nicht, ich war nicht allein!«

»Natürlich nicht!«, zwinkerte Amara verschwörerisch. »Aber weshalb ich hier bin: Ich habe jetzt den Computer geknackt. Das war gar nicht so einfach, obwohl es ein zehn Jahre altes Modell ist. Dafür war das Passwort für die Entschlüsselung der Festplatte ziemlich kompliziert. Das macht nur jemand, der was zu verbergen hat! Die Herren von nebenan sind aber wohl ausgeflogen.«

»Lass ihn einfach hier!«, winkte Vanessa ab und schaute anschließend suchend an Amara vorbei. »Wo hast du das Teil denn? Martin sagte, das sei ein ziemlich großer Kasten! Hast du ihn nicht mitgebracht?«

»So macht man das heute nicht mehr«, lachte die IT-Spezialistin und reichte ihr einen Stick. »Das hier ist eine externe Festplatte mit einem USB-Anschluss. Das Zauberwort lautet ›Virtualisierung‹. Auf diesem Stick befindet sich eine digitale Kopie des Computers, ein Klon sozusagen. Man braucht ihn nur einzustecken und hat Zugriff auf alle Programme und Daten, als säße man vor dem Original. Wenn es gewünscht ist, kann ich auch weitere Kopien davon ziehen, dann könnt ihr zu mehreren daran arbeiten!«

\* \* \*

In der Zwischenzeit hatten Martin und Jonas nach einer verhältnismäßig kurzen Fahrt von einer halben Stunde die in Köln-Deutz, also auf der rechten Rheinseite gelegene Redaktion der Tageszeitung erreicht, für die Oliver Maier gearbeitet hatte. Selbst der überkorrekte Fahrstil des Oberkommissars, dem es dieses Mal reaktionsschnell gelungen war, dem Partner den Autoschlüssel direkt vor der Nase wegzuschnappen, hatte daran nichts ändern können. Da Siegburg auf derselben Rheinseite lag, hatten sie auf der Strecke weder Rheinbrücken zu überqueren, auf denen sich oft Staus bildeten, noch waren sie in eine der berüchtigten Baustellen geraten, die einem Autofahrer auf diesem Autobahnabschnitt vor allem im Sommer das Leben recht schwer machen konnten. Entsprechend gut gelaunt stiegen sie aus.

Das Pförtnerhäuschen vor dem Haupteingang des Redaktionsgebäudes mutete an wie ein Überbleibsel aus dem vorletzten Jahrhundert, war jedoch zu ihrem Erstaunen mit einem betagten Herrn besetzt, der in eine Art Fantasieuniform mit Schirmmütze gekleidet war. Bei ihm fragten sie nach dem Büro des Chefredakteurs. »Das ist mein Sohn«, nickte der alte Mann dienstbeflissen und lieferte auch gleich die Erklärung für seine Anwesenheit: »Eigentlich braucht man ja heutzutage keinen mehr, der den Leuten den Weg weist. Aber dieses Häuschen stand leer und ich habe was zu tun. So ist allen geholfen. Sie finden den Chef im ersten Obergeschoss!«

Der Weg führte sie durch eine das gesamte Erdgeschoss einnehmende Halle, in der Leute in Overalls hektisch herumliefen und ratternde Druckerpressen Endlosrollen Papier bedruckten, und über eine Stahltreppe hinauf in die erste Etage, wo der Lärm, den die Maschinen veranstalteten, schon erheblich erträglicher war und hinter einer Stahltür kaum noch störte. Dafür drang das Gebrüll eines beleibten Mannes aus einem gläsernen Büro zu ihnen, der mit hochrotem Kopf seinen Telefonhörer anschrie, während er eine dicke Zigarre zwischen den wulstigen Lippen wälzte. Offenbar bediente er nahezu jedes Klischee, das man mit Leuten seiner Art im Allgemeinen in Verbindung brachte. Die Aufschrift ›Chefredakteur‹ auf der Tür beseitigte dann den letzten Zweifel: Sie hatten ihren Gesprächspartner gefunden.

»Anrufbeantworter!«, dröhnte er den eintretenden Ermittlern entgegen, nachdem er den Hörer förmlich auf den Apparat geprügelt hatte, dass es knirschte. »Maier ist fristlos gefeuert! Was denkt der Kerl sich eigentlich, eine geschlagene Woche nicht zur Arbeit zu erscheinen? Und was wollt ihr zwei Witzfiguren von mir? Ich muss ein ernstes Wörtchen mit meinem Vater reden. Wozu habe ich einen Pförtner, wenn der jedes Gesindel zu mir schickt?«

Martin zog gelassen den Dienstausweis aus der Tasche. »Weber und Faber, Kriminalpolizei Siegburg«, stellte er sich und den Kollegen vor. »Und wenn Sie Ihre Gesundheit weiter dermaßen ruinieren, können Sie die Kündigung bald selbst überbringen«, meinte er mit einem bezeichnenden Blick zu der Zigarre im Aschenbecher. »Oliver Maier ist nämlich tot!«

»Tot, sagen Sie?« Er schien nicht sonderlich überrascht zu sein. »Und da kommt ihr den weiten Weg hierher, um mir das mitzuteilen? Ihr Komiker wisst aber schon, dass ihr hier nicht zuständig seid? Woran ist er gestorben? Hat er sich zu Tode gesoffen oder hat ihn einer seiner Mafiafreunde umgelegt?«

»Maier wurde in Troisdorf getötet, Herr Zobel!«, informierte Weber ihn beiläufig. Der Name stand auf der Tür, was Martin im Vorbeigehen aufmerksam zur Kenntnis genommen hatte. »Und wir wären auf dem Mond zuständig, wenn es dort etwas zu einem Fall in unserem Bereich zu ermitteln gäbe!« In Gedanken machte er sich jedoch vorsorglich eine Notiz zu den erwähnten ›Mafiafreunden‹. Diese Leute bevorzugten zwar in der Regel andere Tötungsmethoden, aber auf jeden Fall war es ein weiterer Ermittlungsansatz.

»Mafia?«, kam Jonas ihm zuvor. »Können Sie uns Näheres dazu sagen, oder ist das nur eine Vermutung von Ihnen? Hatte Maier Feinde?«

»Ob er Feinde hatte?«, blaffte Zobel und zog gierig an seiner Zigarre, die jedoch zwischenzeitlich ausgegangen war. Da es sich ohnehin nur noch um einen Stumpf handelte, warf er sie wütend in den Papierkorb. »Lesen Sie keine Zeitung, Mann? Jeder Einzelne von diesen Bonzen, die mein Starreporter durch die Mangel genommen hat, hätte ihm liebend gern das Licht ausgeblasen, das können Sie mir glauben! Sie brauchen jemanden mit Motiv? Suchen Sie sich einen aus!«

»Sagen Ihnen diese Namenskürzel etwas?«, übernahm Martin wieder. Er reichte dem Chefredakteur einen Zettel, worauf er sich vor Antritt der Fahrt die vier Initialen notiert hatte, oder was diese Buchstabenkombinationen bedeuten mochten. Stets auf alle Eventualitäten vorbereitet sein, lautete seine Devise.

»Wollen Sie mich verarschen?«, brummte Zobel, nachdem er einen Blick darauf geworfen hatte. »Die halbe Welt hat Namen, die zu diesen Initialen passen. Ein paar davon gibt es in meiner eigenen Verwandtschaft! Ich kann Ihnen allenfalls eine Zusammenstellung sämtlicher Artikel einschließlich der Namen der Betroffenen mitgeben, die Maier im Laufe der Zeit in der Mangel hatte, falls Ihnen das weiterhilft.«

»Das wäre tatsächlich eine große Hilfe. Kommen wir aber noch einmal zu Ihrer Eingangsbemerkung zurück. Wen genau meinten Sie mit ›Mafiafreunden‹, als Sie die möglichen Täter erwähnten?«, hakte Jonas nach. Das schien ihm noch die heißeste Spur zu sein.

»Man hört so dies und das«, hob Zobel die Schultern. »Als Journalist macht man sich darüber wahrscheinlich größere Gedanken als andere Leute. Wenn Sie etwas aus Maiers Leben wissen wollen, fragen Sie am besten den, der den Schreibtisch ihm gegenüber hat. Er heißt übrigens Lennard Bornheim, was auch wieder einer der Initialen auf dem Zettel entsprechen würde«, fügte Zobel grinsend hinzu und wies mit der Hand zu einer der Glaswände seines Refugiums. »Er sitzt gleich dort vorn, der Glatzkopf mit dem blauen T-Shirt!«

\* \* \*

Lennard Bornheim hatte einen Nacken wie ein Stier und die Figur eines Preisboxers. Mit Oberarmen, die förmlich aus seinem T-Shirt quollen, als ob sie es sprengen wollten, und die den Umfang von Martins Oberschenkeln locker übertrafen. Allerdings war der Mann mit der Statur eines Bodybuilders nicht für den Sportteil der Zeitung zuständig, wie man durchaus hätte annehmen können, sondern für die Börsennachrichten. So konnte man sich täuschen.

Nach seinem Journalismus- und BWL-Studium sei er irgendwie bei diesem Zeitungsverlag hängengeblieben, erklärte er ihnen achselzuckend mit einer zu seiner Statur passenden, sonoren Stimme. Er schien sehr gebildet zu sein, ein weiterer Beweis dafür, dass man Menschen nicht nach ihrem Äußeren beurteilen sollte. Dass er in der Freizeit Hanteln stemmte oder irgendeinen anderen Kraftsport ausübte, war jedoch nicht zu übersehen. Auf die Nachricht vom gewaltsamen Tod seines Kollegen reagierte er, ebenso wie zuvor sein Boss, nicht sonderlich beeindruckt.

»Sie scheinen mir nicht sehr überrascht zu sein!«, brachte Martin es sofort zur Sprache. Wenn Freunde, Bekannte, Ehepartner, Arbeitskollegen und so weiter, dermaßen unbeteiligt auf eine Mitteilung dieser Art reagierten, läuteten bei jedem Ermittler auf der Stelle sämtliche Alarmglocken. Es gab nicht viele Möglichkeiten: Entweder wusste derjenige schon davon, war beteiligt, oder der Verstorbene war nicht sehr beliebt gewesen. Wobei aber auch alles zusammen zutreffen konnte. Verdächtig war es auf jeden Fall!

Hinzu kam, dass Bornheims Initialen auf Maiers Kalender gestanden hatten, wenn auch nicht für den Tattag. Das hatte zwar nicht zwangsläufig etwas zu bedeuten, doch Martin glaubte ebenso wenig wie sein Chef an Zufälle. Kein Ermittler tat das! Andererseits passte ein hinterhältiger Angriff mit einer Giftspritze nicht gerade zu einem so kräftigen Kerl wie Lennard Bornheim. Er hätte Maier wahrscheinlich ohne große Anstrengung einfach das Genick brechen können wie ein Streichholz. Die Frage war: Aus welchem Grund hätte er das tun sollen?

»Mein Kollege war nicht nur hier im Verlag extrem unbeliebt«, gab der Journalist bereitwillig zu. »Aber unser Chefredakteur hielt wegen der Verkaufszahlen große Stücke auf ihn, trotz seiner Eskapaden. Er kam zur Arbeit, wann immer es ihm beliebte, und war oft betrunken, wenn man ihm das auch so nicht ansah. Aber mir konnte er nichts vormachen. Mein Vater war Alkoholiker, ich kenne mich mit den Anzeichen gut aus! Die Stimme klingt zum Beispiel leicht verwaschen, was bei ihm jedoch nicht sehr ausgeprägt war. Geistig war er auch fit, aber ...«

»Aber?«, echote Martin, weil Bornheim eine Pause machte. Er hasste es, wenn er den Leuten jedes Wort einzeln aus der Nase ziehen musste, doch mögliche Zeugen zu sehr zu bedrängen, war auch keine Option. Sie wurden dann oft störrisch.

»Er pöbelte ständig die Leute an und benahm sich wie die sprichwörtliche Axt im Wald! Haben Sie seine Kolumnen gelesen? Dann können Sie sich ja ein Bild von seinem Umgangston machen. Mit seinen Enthüllungen hat er nicht eben wenige Existenzen zerstört. Sie werden zwar Probleme haben, darunter jemanden zu finden, der ihm *nicht* ans Leder wollte, doch wenn Sie seinen Mörder suchen, sollten Sie sich ebenfalls in einem anderen Milieu umschauen!«

»Und was genau dürfen wir darunter verstehen?«, hob Martin die Augenbrauen. »Ihr Boss drückte sich auch schon so nebulös aus. Ich weise Sie vorsorglich darauf hin, dass Sie sich strafbar machen, wenn Sie bewusst Informationen zurückhalten, die für die Ermittlungen von Bedeutung sein können!«

»Ja, also«, eierte Bornheim herum. »Es ist nur eine Vermutung, aber ich hab da mal was mitbekommen, als Oliver vor ein paar Tagen über sein Handy telefonierte. Freitag vor einer Woche ist das gewesen. Das letzte Mal, wo ich ihn lebend gesehen habe, wenn ich es recht überlege. Ich weiß, ich hätte nicht lauschen dürfen, doch es schien mir, dass er eine Scheißangst hatte. Er beteuerte mehrmals, dass er den fehlenden Betrag irgendwie auftreiben und die Schulden gleich am nächsten Tag bezahlen würde. Das hörte sich für mich so an, als wäre ein Geldeintreiber der übelsten Sorte hinter meinem Kollegen her, wenn Sie wissen, was ich meine.«

»Um Drogen ging es dabei sicher nicht«, überlegte Jonas, nachdem er einen wissenden Blick mit seinem Partner gewechselt hatte. Das Telefonat hatte Maier am Tag seines Todes geführt. Mit seinem Mörder? »Es deutet eher auf Spielschulden in nicht geringer Höhe hin. Das also meinte ihr Boss mit seiner Bemerkung über ›Mafiafreunde‹ von Maier, nehme ich an. Er wird demnach zumindest etwas ahnen. Wissen Sie, ob Ihr Kollege spielsüchtig war?«

»Wundern würde mich das jedenfalls bei seinem Lebenswandel nicht. Wenn Sie jedoch darauf hoffen, von mir jetzt einen Namen oder sogar eine Adresse zu erhalten, muss ich Sie leider enttäuschen. Fragen Sie doch den Boss, ob er etwas weiß!«

»Das machen wir!«, nickte Martin, entschlossen, sich diesmal nicht abwimmeln zu lassen. Irgendwie kam er sich bei den beiden Herren vor wie ein kleiner Junge, der mit einer peinlichen Frage zu seinem Vater ging und von diesem an die Mutter verwiesen wurde, die ihn jedoch sofort wieder zu ihm zurückschickte. Die beiden wussten etwas, und er würde dieses Haus nicht eher verlassen, bis er in Erfahrung gebracht hatte, was das war!

# Kapitel 15

*Folgen wir dem Geld!*

Die Überprüfung der zweiundfünfzig Hausnummern, die auf der Strecke lagen, die von Karl-Heinz Stumpf auf seiner Unfallfahrt vermutlich zurückgelegt worden war, hatte tatsächlich bloß eine Stunde gedauert. Ihre Ausbeute konnte sich durchaus sehenlassen, und wie erwartet waren bis auf die von Tobias erwähnte alte Dame sämtliche Buchstabenkombinationen aus Maiers Terminkalender mit Ausnahme von E.T. vertreten gewesen, und das mehrfach.

Darunter waren aber auch Kinder in allen Altersstufen, die von Jasmin und Vanessa sofort aussortiert wurden. Zählte man die von Tobias ermittelte zweiundneunzigjährige Frau ebenfalls dazu, blieben noch sechs Personen übrig, die überprüft werden mussten. Doch dafür benötigten sie jede Unterstützung, die sie bekommen konnten, und die beiden Kollegen waren bisher nicht von ihrem Ausflug zurückgekehrt.

Da ansonsten keine dringenden Arbeiten mehr für sie zu erledigen waren, hatten die Kommissarinnen sich voller Neugier über den Datenstick hergemacht, den Amara ihnen vorhin überlassen hatte. Auf ihren Wunsch hin hatte die IT-Spezialistin noch eine Kopie angefertigt, sodass Vanessa und Jasmin sich getrennt damit beschäftigen konnten. Erik wäre ebenfalls eine Hilfe, doch es musste jetzt eben ohne ihn gehen.

»Ich habe hier was!«, meldete Jasmin schon nach einer Viertelstunde. »Eine elektronische Notiz, in der drei der mutmaßlichen Initialen aufgelistet werden. Daneben sind Datumsangaben und Zahlen, es könnte sich um Geldbeträge handeln. Alle liegen in einem hohen vierstelligen Bereich! Der Eintrag zu E.T. fehlt allerdings, beziehungsweise ist ohne Angabe! Findest du es nicht ziemlich merkwürdig, dass diese Initialen nicht nur die sind, die an Maiers Todestag auf seinem Terminkalender standen, sondern auch nur *einmal* in dem von uns untersuchten Stadtgebiet vorkommen und zudem auf der Notiz die Einzigen sind, die *nicht* mit einem Betrag versehen sind?«

»Es könnte dabei um hübsche kleine Erpressungen gehen!«, vermutete Vanessa. »Der letzte Eintrag im Kalender war ja vom Tattag, wie du schon sagtest. Da hatte er vielleicht erst noch vor, diesen ominösen E.T. aufzusuchen! Was wir jetzt dringend benötigen, sind die vollständigen Namen und, wenn irgend möglich, die Adressen von allen vieren. Such weiter, irgendwo müssen die stehen! Ich habe aber auch was gefunden, und zwar die Unterlagen von seinem Mobilfunkprovider! Er hatte ja kein Handy bei sich, und in seiner Wohnung war auch keins. Ich werde bei der Telekom anrufen und einen erweiterten Einzelverbindungsnachweis anfordern. Wenn wir Glück haben, wurde er kurz vor seinem Tod von jemandem kontaktiert!«

Jasmin nickte nur abwesend dazu, während ihre Partnerin zum Telefonhörer griff. Sie hatte nämlich soeben eine umfangreiche Excel-Tabelle entdeckt, die dem Zeitstempel gemäß heute angelegt worden sein musste und eher auf das Konto Amaras ging. Sie war nicht einmal versteckt gewesen, sondern im Gegenteil auf dem Desktop abgelegt, also direkt vor ihrer Nase. Als sie die Datei öffnete, gingen ihr die Augen über! Die Diskussion Vanessas mit einem Mitarbeiter der Telekom aus ihrer Wahrnehmung ausblendend, widmete sie sich mit zunehmendem Interesse den Angaben in dieser Tabelle. Sie erwiesen sich als sehr aufschlussreich!

* * *

»Nachdem wir diesem Zeitungsheini richtig Feuer unterm Hintern gemacht hatten, rückte er doch noch damit heraus, dass sein ›bester Mann‹ in Wirklichkeit spielsüchtig war und in irgendwelchen illegalen Pokerrunden mitmischte«, beendete Martin seinen ausführlichen Bericht über ihren Besuch in Köln. »Er wollte oder konnte uns jedoch nichts Genaueres dazu sagen. Wir gehen aber davon aus, dass der Anruf was damit zu tun hatte, den Bornheim am Nachmittag, bevor Maier starb, zufällig mithörte. Leider haben wir überhaupt keine Anhaltspunkte, um wen es sich dabei gehandelt haben könnte. Wenn wir sein Handy hätten, könnten wir in der Anrufliste nachsehen.«

»Nachmittag, sagtest du?«, fragte Vanessa und rief einen Eintrag in der Falldatenbank auf, den sie erst wenige Minuten vor der Besprechung darin abgelegt hatte. »Das ist der Einzelverbindungsnachweis von Maiers Handy vom Tattag«, erläuterte sie, nachdem sie die Datei für die anderen freigegeben hatte. »Es handelt sich dabei um eine vollständige Auflistung, wo auch die Nummern der ankommenden Gespräche gelistet werden. Der Mitarbeiter der Telekom war so freundlich, ihn mir schnell und unbürokratisch per E-Mail zur

Verfügung zu stellen. Die dazu notwendigen Unterlagen fand ich im Computer des Opfers«, fügte sie mit achselzuckend hinzu, weil das eigentlich Jonas und Martin hatten machen sollen.

»Kein Thema!«, hob der ältere Kollege beschwichtigend die Hände. »In Daten wühlen ist sowieso nicht mein Ding. Im Gegensatz zu unserem Schlipsträger«, grinste er mit einem hämischen Seitenblick zu Jonas. »Wie ich sehe, gab es zur fraglichen Zeit nur einen ankommenden Anruf. Das wird unser Mann sein, wir sollten herauszufinden versuchen, wer es ist!«

»Den Provider haben wir über eine Online-Abfrage schon mal ermitteln können«, versetzte Tobias. »Zum Glück werden unregistrierte Prepaid-Handys immer seltener, seit man sie nur noch im Ausland bekommt. Ich habe den Gerichtsbeschluss zur Herausgabe des Anschlussinhabers bereits beantragt und erwarte ihn innerhalb der nächsten Stunde.«

»Dann statten wir diesem Herrn oder dieser Dame einen Besuch ab«, freute sich der Hauptkommissar. »In der Zwischenzeit haben wir auch einen Namen für euch, vielleicht ist es ja sogar derselbe! Zobel gab uns eine Mappe mit allen Artikeln an die Hand, die Maier in den letzten Jahren verfasst hatte. Außerdem bekamen wir eine Auflistung sämtlicher Namen, die in den Zeitungsberichten immer abgekürzt werden. Zu einem auf dieser Liste hatte Maier zwar offenbar irgendetwas recherchiert, aber bislang noch keinen Artikel darüber verfasst und auch kein Manuskript dazu eingereicht. Der Mann heißt Albert Kunze. Na? Dämmert da was?«

»Das könnte sich mit dem Eintrag A.K. auf seinem Terminkalender decken«, nickte Jasmin. »Allerdings macht es das Rätsel um diese Kürzel eher größer als kleiner. Ich habe nämlich auch etwas entdeckt!« Sie rief nun ebenfalls ein Dokument auf, eine Tabelle mit Namen, Datumsangaben und Geldbeträgen.

»Das ist ein Auszug aus einer Onlinebanking-Software, die auf Oliver Maiers Computer installierte ist«, erklärte sie den Kollegen. »Amara konnte das separate Passwort für den Kontozugriff auf die Schnelle nicht knacken, war jedoch in der Lage, eine Offline-Datei zu dekodieren, die auf dem Rechner gespeichert war, und in eine Excel-Tabelle zu überführen. Sie ist leider nicht tagesaktuell. Wie ihr sehen könnt, sind in den letzten Monaten dreimal Einzahlungen größerer Geldbeträge verbucht worden. Die Einzahler heißen Albert Kunze, Bernd Ludwig und Klaus Abendroth! Außerdem wies das Konto vor den Einzahlungen ein entsprechendes Minus auf.«

»Die Überziehungen würden zu unserer Annahme passen, dass Maier spielsüchtig war«, nickte Jonas. »Wie es aussieht, hatte er nebenher auch noch einige Erpressungen laufen, was die Folge von chronischer Geldknappheit sein dürfte. Ein kostspieliger Lebenswandel und Beschaffungskriminalität gehen in der Regel Hand in Hand. Ein Name passt zu den Kalendereinträgen, die anderen beiden nicht. Liegt darin dein ›Problem‹ begründet?«, malte er mit seinen Fingern Anführungszeichen in die Luft.

»Nein, aber *das* hier!« Jasmin rief eine andere Datei auf. »Hier sind alle vier Kürzel aufgeführt, die wir auf dem Terminkalender fanden«, erläuterte sie das Offensichtliche. »Auch hier fehlt der Eintrag zu Klaus Abendroth, der dann ja wohl K.A. lauten müsste. Es kann aber auch sein, dass das einfach ein Dreher ist, und Albert Kunze *zweimal* zur Kasse gebeten wurde. Bei Bernd Ludwig für L.B. könnte das ähnlich sein. Der Eintrag für E.T. ist leer, während die anderen mit Datumsangaben und Geldbeträgen ergänzt wurden. Doch das ist es nicht, was mich stutzig gemacht hat. Es ist vielmehr die Tatsache, dass die aufgelisteten Beträge *nicht* mit den Einzahlungen auf dem Konto übereinstimmen! Die Überweisung, die Abendroth vorgenommen hat, entspricht der von A.K. auf dieser Liste, was wieder für einen Dreher spräche. Auch der neben L.B. genannte Betrag passt zu Bernd Ludwig. Aber die Datumsangaben in dieser Notiz entsprechen in keinem der Fälle den Einzahlungen.«

»Die Gesamtsumme stimmt immerhin«, witzelte Martin, der die Zahlen schnell im Kopf zusammengezählt hatte. »Vielleicht hat diese Notiz aber auch gar nichts mit den Einzahlungen zu tun!«

»Das kann kein Zufall sein«, schüttelte Tobias den Kopf. »Ihr wisst alle, was ich von solchen ›zufälligen‹ Übereinstimmungen halte! In der Kriminalistik gibt es einige Leitsätze, die nicht selten zum Ziel führen. Einer davon lautet: Folgen wir dem Geld! Und genau das machen wir! Jasmin und Vanessa, ihr kümmert euch um die Einzahler und findet heraus, wofür ein einfacher Journalist diese Zahlungen erhalten haben könnte. Ich gehe ebenfalls von Erpressung aus, da er im Zuge seiner Recherchen durchaus in den Besitz von Informationen gelangt sein könnte, die er nicht veröffentlichte, sondern stattdessen beschlossen hat, sie zu Geld zu machen. Jeder Einzelne davon hätte demnach ein Motiv gehabt, ihn zu töten! Die Überprüfung derjenigen, die ihr im Einwohnerregister zu den Initialen ermittelt habt, muss zunächst warten. Wir haben nicht genug Kapazitäten dafür und das mit dem Geld erscheint mir auch vielversprechender. Martin und Jonas: Sobald wir einen Namen zu dem Telefonanruf am Tattag haben, fahrt ihr dorthin und fragt höflich an, worum es bei dem Telefonat ging!«

\* \* \*

Der Anschlussinhaber war nach Vorlage des richterlichen Beschlusses rasch ermittelt. Er hieß Jürgen Heimbach, war achtundfünfzig Jahre alt und wohnte in Bonn, wo er eine Art Pub betrieb. Mehr war auf die Schnelle nicht über ihn herauszufinden gewesen und außer sechs Punkten im ›Fahreignungsregister‹, wie das Flensburger Verkehrszentralregister mittlerweile genannt wurde, und einem unbezahlten Knöllchen hatte er auch keine Vorstrafen.

Sollte er irgendwas mit dem Tod des Journalisten zu tun haben, ergaben sich daraus im Prinzip drei Konsequenzen: Er war entweder grenzenlos dämlich, ein registriertes Handy für den mutmaßlichen Drohanruf zu verwenden, hatte ein absolut wasserdichtes Alibi, oder man hatte ihm bisher noch keine illegalen Geschäfte nachweisen können. Zwar hofften Martin und Jonas auf Ersteres, glaubten aber nicht daran.

Der Pub machte erst am Nachmittag auf, doch die Eingangstür war nicht verschlossen. Die Kommissare betraten die Kneipe und sahen sich in dem schummrigen Licht, das durch die Buntglasfenster fiel, in dem nicht sehr großen Thekenraum um. Gleich links war ein vier Meter langer Bartresen, hinter dem jemand rumorte, der aber zunächst nur zu hören war. Den klirrenden Geräuschen gemäß wurden gerade Gläser eingeräumt. Rechts standen Tische und Stühle und an der Stirnwand war die obligatorische Dartscheibe angebracht. Daneben gab es eine weitere Tür, die vielleicht in ein Privatzimmer führte.

Martin trat an den Tresen und klopfte mehrmals mit den Fingerknöcheln auf die fleckige und abgenutzte Oberfläche. Jahrzehntelanges Herumschieben von Trinkgläsern und Verschütten von alkoholischen Getränken hatten deutlich ihre Spuren auf dem Holz hinterlassen. Einige Brandlöcher zeugten zudem von der Zeit, als man in Gaststätten noch rauchen durfte.

Hinter dem Thekenrand tauchte ein kugelrunder, blitzblanker Schädel auf, dem unter einem Ächzen sofort ein ebenso massiger Körper folgte. »Wir haben geschlossen!«, brummte er unfreundlich. »Könnt ihr nicht lesen? Geöffnet ist ab 17:00 Uhr!«

Martin zückte seinen Dienstausweis. »Weber und Faber, SOKO Rhein-Sieg! Herr Heimbach? Kennen Sie einen Oliver Maier? Dann hätten wir ein paar Fragen an Sie!«

»Kripo Siegburg? Seid ihr hier in Bonn überhaupt zuständig?«, grunzte Heimbach, während er gleichzeitig begann, mit Hingabe ein Glas zu polieren.

»In diesem Fall schon. Was ist denn nun, kennen Sie diesen Herrn Maier? Wir haben nicht den ganzen Tag Zeit! Ich darf Sie außerdem darüber informieren, dass wir eine Mordermittlung durchführen!«

»Schon möglich, dass ich den kenne«, gab der Wirt ungerührt zurück, stellte das Glas beiseite und nahm ein Neues. »Aber das wissen Sie bereits, oder irre ich mich da? Der Kerl ist also tot, wenn ich das richtig interpretiere. Und was hat das jetzt mit mir zu tun?«

»Nach unserer Kenntnis waren Sie der Letzte, der mit ihm telefonierte«, antwortete Jonas. »Den Anruf machten Sie Freitag vor einer Woche um 16:12 Uhr. Er dauerte genau eine Minute und fünfzig Sekunden und kurz darauf war Oliver Maier tot! Sie können sich sicher lebhaft vorstellen, dass wir uns brennend für den Inhalt dieses Gesprächs interessieren!«

»Das geht Sie nichts an!«, blaffte Heimbach. »Das ist Privatsache!«

»So? Ist es das?«, grinste Martin und nahm ihm das Glas aus der Hand. »Hören Sie, Mann! Wir haben einen Zeugen, der gehört hat, wie sie Oliver Maier am Telefon bedroht haben! Wie viel schuldete er Ihnen? Zehntausend? Zwanzigtausend? Das Geld sehen Sie sowieso nicht mehr wieder! Was werden wir wohl finden, wenn wir durch diese Tür gehen?«, zeigte er auf den Raum neben der Dartscheibe. »Ich denke, da wird ein wunderschöner, mit allen Schikanen ausgestatteter Pokertisch drin stehen. Ob wir dort auch gezinkte Karten finden? Auf jeden Fall aber werden unsere Spezialisten die DNA von Oliver Maier sicherstellen können, da bin ich mir sehr sicher. So gründlich können Sie da gar nicht saubermachen!«

»Ist ja schon gut!«, lenkte Jürgen Heimbach mit grimmiger Miene ein. »Sie haben gewonnen. Ich sage Ihnen, was Sie wissen wollen!«

\* \* \*

»Du steckst das erstaunlich gut weg«, bewunderte Vanessa die Ruhe, mit der ihre Freundin und Kollegin den Audi über die zu dieser Tageszeit etwas vollere A59 steuerte. Allerdings war auf diesem Teilstück der Autobahn ohnehin nur eine Höchstgeschwindigkeit von 100 km/h erlaubt. »Es ist gerade mal einen Tag her, dass ihr von dieser wahnsinnigen Killerin überfallen wurdet, und du tust beinahe so, als sei das eine Lappalie gewesen!«

»Im Grunde war es das auch«, gab Jasmin zurück. »Das Schlimmste daran waren noch die Minuten, wo sie eine Kamera nach der anderen zerschoss und wir weder wussten, mit wem wir es zu tun hatten, noch wie viele Angreifer es genau waren. Dass es sich um die Sokolowa handelte, konnten wir ja nur vermuten. Aber wer hätte es sonst gewesen sein sollen? Die Festnahme war dagegen fast ein Kinderspiel!«

»Ich verstehe immer noch nicht, warum ihr euch überhaupt in eine solche Gefahr begeben habt! Wenn ihr damit gerechnet hattet, dass der Strom ausfallen würde, hättet ihr das Notstromaggregat nur vorher anschmeißen müssen, dann wäre sie gar nicht erst in das Haus gekommen!«

»Wir wussten es nicht mit Gewissheit, außerdem geht das nicht so einfach. Es hätte zu lange gedauert, das Dieselaggregat per Hand zu starten, und die Zeit hatten wir nicht!«

»Ich verstehe auch ehrlich gesagt nicht, warum die Türen bei einem Stromausfall nicht geschlossen bleiben, das ist doch ein Sicherheitsrisiko!«

»Ich denke, die Konstrukteure hatten mit einem solchen Fall nicht gerechnet«, überlegte Jasmin. »Die Bewegungsmelder kündigen Besucher frühzeitig an, und wenn der Strom ausfällt, ist es praktisch unmöglich, in den Sekunden, die der Diesel zum Anspringen braucht, bis ans Haus zu kommen. Bei einem Feuer muss zudem gewährleistet sein, es ohne Eingabe des Codes verlassen zu können. Und dann gibt es ja auch noch den Panikraum!«

»Den ihr aber nicht benutzt habt! Der Chef hat im Grunde Recht: Ihr seid leichtsinnig gewesen!« Jasmin hob anstelle einer Antwort nur die Schultern und tat, als müsse sie sich auf den Verkehr konzentrieren. Die Unterhaltung versiegte.

Jasmin und Vanessa hatten zu einem der Einzahler Adresse und Telefonnummer herausgefunden. Klaus Abendroth wohnte in Köln-Kalk, wo er einen Onlinehandel betrieb. Sein Name tauchte aber weder in den von Maier verfassten Artikeln auf, noch auf der Liste, die Martin und Jonas von dem Chefredakteur seiner Zeitung erhalten hatten.

Mit Ausnahme von Albert Kunze aus Düsseldorf, der auf dieser Liste zwar aufgeführt war, jedoch nicht in einem der Artikel erwähnt wurde, galt das außer für Klaus Abendroth ebenfalls für Bernd Ludwig aus Bonn. Dies untermauerte die Annahme von Erpressungen, da niemand den Ast absägt, auf dem er sitzt. Waren die ›Verfehlungen‹ öffentlich bekannt, konnte man diese Leute ja nicht mehr zur Kasse bitten.

Belastendes Material zu diesen drei Personen war aber bisher weder in der Wohnung noch auf seinem Computer gefunden worden. Falls solche Unterlagen tatsächlich existierten, waren sie entweder anderswo versteckt oder unter dem ganzen Müll verborgen. Da die Suche in diesem Umfeld eine große Herausforderung darstellte, waren die Forensiker auch heute dort am Werk. Hoffentlich fanden sie noch was, denn falls diese Leute eine Erpressung leugneten, waren solche Unterlagen die einzige Handhabe, die Geschädigten zu einer Aussage zu bewegen.

Allen voran der ominöse E.T., denn dieses Kürzel widersetzte sich standhaft allen Deutungsversuchen. Dabei wurde die dahinter verborgene Person derzeit als ihr Hauptverdächtiger eingestuft, da Oliver Maier offenbar am Tattag eine Verabredung mit ihr gehabt hatte. Die Frage war, ob er sie eingehalten hatte und dabei zu Tode kam, oder ob er bereits vorher getötet wurde. Die späte Uhrzeit der Tat sprach deutlich für die erste Variante, doch ohne weitere Anhaltspunkte war sogar Jasmin mit ihrem Gespür für Zusammenhänge ratlos.

Das einzige, das eine gewisse Wahrscheinlichkeit darstellte, war, dass der Täter nicht besonders geübt im Umgang mit Spritzen war, da er sich offenbar an der Nadel verletzt hatte. Darin, und in der Entschlüsselung der leider bruchstückhaften Erbinformation, die man an der Einstichstelle sichergestellt hatte, lag eine weitere Hoffnung begründet, doch die Sequenzierung der teilweise zerstörten DNA dauerte derzeit noch an, und es war ohnehin fraglich, ob damit etwas anzufangen sein würde.

Die Vernehmung der alten Dame, die als einzige Entsprechung der Initialen in der bewussten Gegend wohnte, stand als einer der nächsten Punkte auf der

Agenda der Kommissarinnen. Doch bevor sie Eveline Theisen aufsuchten, wollten sie erst Klaus Abendroth in Köln einen Besuch abstatten. Die Anordnung des Chefs lautete, dem Geld zu folgen, und eine alte Frau wie sie würde ihnen nicht davonlaufen. Zudem war sie als Sozialhilfeempfängerin wohl keine geeignete Kandidatin für eine Erpressung.

Abendroth hatte sich standhaft geweigert, ihnen fernmündlich Auskunft zum Grund seiner Überweisung auf das Konto von Maier zu geben, weshalb sich Jasmin und Vanessa kurzerhand zu ihm nach Köln aufgemacht hatten, um ihn persönlich zu befragen. Auge in Auge war er vielleicht gesprächiger.

Die Erfahrung hatte sie gelehrt, dass manch einer, der am Telefon eine Aussage verweigerte, in direkter Konfrontation eher dazu bereit war, etwas zu sagen, und die Kommissarinnen konnten in dieser Hinsicht sehr überzeugend sein. Zumal sie im privaten Umfeld des Befragten mit der wenig erfreulichen Alternative drohen konnten, die Vernehmung im Kommissariat fortzusetzen.

Das funktionierte verblüffend oft, auch wenn eine rechtliche Handhabe dazu meist nicht gegeben war, da für die Einschränkung von Grundrechten strenge Regeln galten. In einem Rechtsstaat wie diesem war niemand verpflichtet, einer Aufforderung der Polizei zum Mitkommen ins Kommissariat Folge zu leisten. Einzige Ausnahmen waren Festnahmen, Haftbefehle oder gerichtliche Vorladungen. Auch die in Fernsehkrimis äußerst beliebten Appelle, die Stadt oder sogar das Land nicht zu verlassen, waren in den Bereich der Märchen zu verbannen.

* * *

Die *Abendroth GmbH* in Köln-Kalk war eines jener Start-up-Unternehmen, die zu Beginn der Pandemie wie Pilze aus dem Boden geschossen waren. Als die Bewegungsradien der Menschen von jetzt auf gleich eingeschränkt waren, es noch keine Impfseren gab, Kontakte in einem nahezu paranoid übertriebenen Maße vermieden wurden und man nur mit Schutzmaske das Haus verlassen durfte, waren Dienstleistungen wie diese plötzlich gefragt und ihre Betreiber verdienten sich eine goldene Nase mit Lieferdiensten.

Doch dann trat der Gewöhnungseffekt ein und die jubelnd begrüßten ›Problemlöser‹ gerieten zuerst in Vergessenheit, dann in akute Geldnot. Denn die vollmundigen Versprechungen, Lebensmittel und andere Dinge des täglichen Bedarfs, innerhalb von Minuten kostengünstig bis an die Haustür zu liefern, konnten aufgrund der lawinenartigen Bestellrückgänge nicht mehr eingehalten werden. Die unmittelbaren Folgen davon waren Konkurs oder zumindest ein Abbau der Dienstleistungen.

Gründer und einzige Gesellschafter dieser Firma waren die Eheleute Klaus und Judith Abendroth, wie Jasmin vor Antritt der Fahrt noch schnell im Internet recherchiert hatte. Beide hatten Betriebswirtschaft studiert – und sich bei diesem Studium auch kennengelernt – und waren mit Mitte dreißig etwas älter als der typische Start-up-Gründer. Überlebt hatten sie nur, weil sie ihr Portfolio rechtzeitig an diese veränderte Wirtschaftslage angepasst hatten. So stand es jedenfalls in der höchst professionell aufgemachten Firmenbeschreibung. Jetzt saßen die Ermittlerinnen jedoch nicht Klaus Abendroth gegenüber, sondern seiner Frau.

»Mein Mann ist derzeit unabkömmlich«, beschied sie ihnen. Ihrer Miene war nicht zu entnehmen, ob er nicht im Hause war, nicht mit ihnen sprechen wollte, oder überhaupt von ihrer Anwesenheit wusste. »Falls es um firmenspezifische Fragen geht, können Sie die auch mit mir klären. Privat haben wir keine Geheimnisse voreinander, sodass ich auch in dieser Hinsicht Ihr Ansprechpartner bin! Sofern ich Ihnen überhaupt irgendwelche Fragen beantworten muss«, fügte sie mit geschäftsmäßigem Lächeln hinzu. »Befinden Sie sich nicht außerhalb Ihrer Zuständigkeitsbereichs.«

*Wenn ich jedes Mal einen Euro bekäme, wenn ich das höre*, dachte Vanessa. »Wir ermitteln zu einem Todesfall in einer Nachbarstadt«, sagte sie stattdessen zu ihr. »Diese liegt in unserer Zuständigkeit und fragen dürfen wir sowieso überall. Und Sie werden nur als Zeugin vernommen!« *Noch*, fügte sie in Gedanken hinzu. »Ist Ihnen der Name Oliver Maier ein Begriff?«

»Maier?«, runzelte Judith Abendroth in gespielter Konzentration die Stirn. Sie war eine gute Schauspielerin, doch den Kommissarinnen konnte sie nichts vormachen. Die allgemeingültige Theorie, dass man an den Augenbewegungen ablesen kann, ob jemand lügt oder nachdenkt, war zwar durch entsprechende Experimente mittlerweile widerlegt, doch das verräterische Zucken des linken Augenlides entging den Ermittlerinnen nicht. Augenkontakt bei einer Frage wie dieser zu halten, war ihnen in Fleisch und Blut übergegangen. »Nein, der Name sagt mir überhaupt nichts«, schüttelte Abendroth entschieden den Kopf. »Ist das einer unserer Kunden?«

»Sagen Sie es uns!«, verlor Jasmin endgültig die Geduld. »Und dann erklären Sie uns auch gleich mit, warum Sie oder Ihr Mann am …« Sie schaute kurz in ihre Notizen und nannte ihr ein Datum. »Warum von Ihrem Privatkonto an diesem Tag ein Betrag in Höhe von 5.000 Euro an diesen Herrn überwiesen wurde! Was glauben Sie: Finden wir diesen Namen und vor allem diese Summe in Ihren Geschäftsbüchern, wenn wir uns einen richterlichen Beschluss besorgen?«

Das ohnehin schon emotionslos wirkende Gesicht der Geschäftsfrau versteinerte bei ihren Worten geradezu. »Ich wünsche Ihnen viel Glück beim Versuch, diesen Beschluss zu erwirken!«, zischte sie, während sie sich von ihrem Sitzplatz erhob. »Ich muss Sie jetzt aber bitten, zu gehen. Guten Tag!«

»Die wusste ganz genau, wovon da die Rede war!«, stellte Vanessa zwei Minuten später auf dem Weg zu ihrem Dienstwagen fest. »Leider können wir sie nicht zwingen, mit der Wahrheit herauszurücken, solange wir ihr keine Straftat nachweisen können. Den Weg hierher haben wir ganz umsonst gemacht!«

»Klar, und sie weiß auch, dass wir einen Beschluss zur Einsicht der Geschäftsbücher nicht bekommen, solange wir sie oder die Firma nicht direkt mit dem Tod Maiers in Verbindung bringen können«, nickte Jasmin. »Trotzdem war der Einsatz nicht vollständig ergebnislos. Ihre Reaktion auf die Namensnennung war jedenfalls höchst aufschlussreich.«

»Das stimmt, wir sind also auf dem richtigen Weg! Hoffen wir, dass die Forensiker belastendes Material in der Wohnung finden. Oder zumindest Martin und Jonas etwas aus Bonn mitbringen, das uns in dieser Hinsicht weiterhilft!«

# Kapitel 16

*Des Rätsels Lösung*

»Ich habe jetzt endlich den Bericht des Humangenetischen Instituts zur Analyse der unvollständigen
DNA erhalten, die Doktor de Luca an der Einstichstelle
im Nacken von Oliver Maier fand«, eröffnete Tobias
ihnen gleich zu Beginn der Besprechung. »Die leider
sehr kurze Gensequenz lässt naturgemäß keine hun-
dertprozentige Zuordnung zu, ist jedoch definitiv *nicht*
Antonius Eschbach oder einem seiner Blutsverwand-
ten zuzuordnen. Für Angehörige des Opfers gilt das
ebenfalls. Bei dieser Gensequenz handelt es sich nämlich um den Teil, der vererbt wird und sich daher in
allen direkten Nachkommen wiederfindet.«

»Das heißt dann, dass Markus Eschbach endgültig
vom Tisch ist«, bemerkte Vanessa. »Er würde auch,
ebenso wie seine drei Geschwister, nicht zu unserer
Theorie passen, da ihre Initialen nicht auf der Liste stehen.«

»Die jedoch keinen Anspruch auf Vollständigkeit
erhebt. Doch du hast recht: Da Antonius Eschbach zu
Lebzeiten bereits in einem von Oliver Maiers Artikeln
verwurstet wurde, kommen er und seine Kinder für
eine Erpressung wohl eher nicht in Betracht.«

»Für die wir immer noch Beweise suchen, Chef!«,
erinnerte Jasmin ihn, dass sie diesbezüglich nach wie

vor auf dem Trockenen saßen. »Die Reaktion dieser Firmeninhaberin aus Köln-Kalk war zwar im Grunde ziemlich aufschlussreich, doch ansonsten ein Schuss in den Ofen. Wir haben jedoch jetzt die Telefonnummern und Adressen der beiden anderen, die Überweisungen auf Maiers Konto getätigt hatten. Die werden wir uns heute noch vornehmen!«

»Das stellen wir erst mal zurück. Solange wir keine Beweise für die Erpressungen haben, können die uns alles Mögliche erzählen! Die nochmalige, besonders gründliche Durchsuchung der Wohnung hat leider nichts gebracht, doch Amara hat im Browserverlauf des Rechners einen Hinweis zu einem Cloud-Speicher gefunden, dem sie nachgehen wollte. Sobald sie den Zugang geknackt hat, sagt sie sofort Bescheid. Wenn mich mein Bauchgefühl nicht trügt, werden wir dort fündig!«

»Eine versuchte Erpressung können wir zumindest im letzten Fall annehmen«, meldete sich Martin zu Wort. »Was der Betreiber dieser Kneipe in Bonn zu sagen hatte, war diesbezüglich sehr aufschlussreich. Er hatte sich zwar erst ein wenig geziert, aber dann wollte er gar nicht mehr aufhören, zu singen.«

»Nachdem ihr ihm die sprichwörtlichen Daumenschrauben angelegt hattet?«, vermutete Jasmin.

»Nennen wir es Motivationshilfe«, grinste Martin. »Heimbach hat es zwar nicht direkt zugegeben, es ist aber mehr als wahrscheinlich, dass im Hinterzimmer seines Pubs illegale Pokerspiele abgehalten werden, bei denen es um hohe Beträge geht. Fakt ist aber, dass Maier dort Dauerkunde war und mit einer fünfstelligen Summe bei ihm in der Kreide stand. Er gab auch den Telefonanruf an dessen Todestag zu, und dass er ihm etwas ›Feuer unterm Hintern‹ gemacht hatte, wie er sich ausdrückte. Ich kann mir jedoch lebhaft vorstellen, dass dies für Maier nicht sehr erfreulich ausgegangen wäre!«

»Und jetzt kommen wir zu dem Teil, wo seine Aussage einen Hinweis auf eine Erpressung liefert«, vermutete Tobias und gab ihm damit gleichzeitig zu verstehen, dass er sich etwas beeilen sollte.

»Ganz recht«, ließ Martin sich nicht aus der Ruhe bringen. »Maier sagte ihm nämlich am Telefon, dass er noch eine hohe Zahlung erwarte, und er das Geld am nächsten Tag zurückzahlen werde. Da sein Konto im Minus stand, kann das nur bedeuten, dass er eine andere Quelle aufgetan hatte. Und das muss dann ja schon eine ›Barauszahlung‹ gewesen sein. Sprich, er hatte vor, jemanden persönlich aufzusuchen und ihn um diese Summe zu erleichtern.«

»E.T. Die Initialen, die sich bisher jedem Deutungsversuch widersetzen«, nickte Vanessa. »Es sei denn, wir nehmen eine hochbetagte Rentnerin als Täterin an!«

»Das mit den Initialen ist sowieso ein Windei«, bemerkte Jonas. »Irgendwie passen die nicht recht zu den übrigen Fakten. Die können doch alles Mögliche bedeuten, nehmen wir zum Beispiel diesen Kollegen von Oliver Maier. Lennard Bornheim würde ebenfalls infrage kommen, wie viele andere auch!«

»Vollidiot!«, rief Jasmin und klatschte sich mit der flachen Hand an die Stirn. »Äh ... Ich meine natürlich nicht dich, Jonas!«, fügte sie verlegen hinzu, als alle sie entgeistert anschauten. »Aber ich glaube, ich habe jetzt des Rätsels Lösung gefunden!« Sie rief hastig die Datei mit den vermeintlichen Initialen, Datumsangaben und Beträgen auf und gab sie für die Kollegen frei. Dasselbe machte sie mit der Excel-Tabelle. »Seht ihr? Weder die Beträge noch die Wertstellungen in den Kontoauszügen passen zu den Angaben auf dem Zettel, aber das wussten wir bereits! Doch was, wenn das gar keine Initialen sind, oder nur teilweise?«

Sie erzeugte eine neue Datei und tippte eine Weile darin herum, wobei sich hektische Flecken auf ihrem Gesicht bildeten. Jasmin, die fähigste Datenanalystin im Team, war in ihrem Element. »Seht her!«, meldete sie, als sie damit fertig war und diese Datei ebenfalls freigegeben hatte. »Die Nennung dieses Kollegen von Maier brachte mich auf die rettende Idee. Er heißt nämlich wie eine Stadt, die gar nicht einmal weit von hier entfernt ist! Unter der Annahme, dass es sich bei den Angaben auf dem Zettel jeweils um eine Kombination von Nachname und Wohnort handelt, passt auf einmal alles perfekt! Klaus Abendroth aus Köln, Albert Kunze aus Düsseldorf sowie Bernd Ludwig aus Bonn! Auch die Einzahlungen sind dann korrekt!«

»Das war hervorragend kombiniert!«, lobte Tobias sie. »Leider bringt uns das aber auch nicht wesentlich weiter. Unter der Annahme, dass der letzte Eintrag für Troisdorf steht, bleibt noch der Name übrig, von dem wir den Anfangsbuchstaben haben. Und Familiennamen, die mit ›E‹ anfangen, gibt es in dem fraglichen Stadtgebiet bestimmt ein Dutzend oder mehr! Die Familie Eschbach fällt wegen der nicht übereinstimmenden DNA aus dem Raster, zumal keiner von denen dort wohnt!«

»Die alte Dame wäre dann endgültig vom Haken«, überlegte Vanessa. »Für die Familie Eschbach gilt das aber nicht so ganz, immerhin sind die Brüder verheiratet und der Firmensitz ist keine hundert Meter von der Stelle entfernt, wo wir das Autoteil auf der Straße fanden. Laut dem Analyseergebnis der Forensik ist es vom Unfallauto«, erinnerte sie ihn an die seit gestern vorliegende Expertise.

»Liefert mir ein Tatmotiv für eine der Ehefrauen, und ich bin der Erste, der eine Festnahme anordnet!«, hob der SOKO-Chef die Schultern. »Aufgrund einer bloßen Vermutung erhalte ich nämlich weder eine richterliche Anordnung für eine Speichelprobe noch einen Durchsuchungsbeschluss!«

»Wenn ich dazu einen Vorschlag machen dürfte?«, meldete sich Jonas in seiner gestelzten Sprechweise zu Wort. »Maier wird den Entschluss, sein Opfer am selben Tag abzuzocken, ganz spontan gefasst haben, nämlich unmittelbar nach dem Anruf seines Gläubigers! Es muss aber auf irgendeine Weise eine Verabredung zustande gekommen sein, und das geht auf die Schnelle nur telefonisch! Sein Handy wurde jedoch laut Verbindungsnachweis nach dem Telefonat mit Heimbach nicht wieder benutzt. Sein Festnetztelefon kommt nicht in Betracht, das hatten wir überprüft.«

»Okay, ihr beide fahrt in die Redaktion!«, erkannte Tobias sofort, worauf Jonas hinauswollte. »Wenn wir etwas Glück haben, wurde auch sein dortiges Telefon nicht mehr verwendet, da sein Arbeitsplatz seitdem verwaist ist. Schaut nach, welche Nummer er zuletzt gewählt hat. Falls die einen richterlichen Beschluss dafür haben wollen, wird es allerdings eng.«

* * *

*Eine Stunde später*

Amara Jones war tatsächlich erfolgreich gewesen. Sie hatte nicht nur die Adresse der Cloud ermittelt, die von Oliver Maier zur Ablage seiner Dokumente benutzt worden war, sondern auch in Rekordzeit das Zugangspasswort gehackt. Was das betraf, konnte ihr so leicht niemand etwas vormachen. Jetzt sichteten Tobias, Vanessa und Jasmin gemeinsam an den Bildschirmen des Besprechungsraums die umfangreiche Datensammlung. Sie hätten dies natürlich ebenso an ihren jeweiligen Arbeitsplätzen tun können, doch so konnte man sich gegebenenfalls über die gefundenen Dokumente austauschen, falls es Diskussionsbedarf geben sollte.

Martin und Jonas waren weisungsgemäß in die Redaktion nach Köln gefahren und versuchten wahrscheinlich in diesen Minuten, den Chefredakteur von der Notwendigkeit zu überzeugen, das Telefon seines verstorbenen Mitarbeiters benutzen zu dürfen. Einen Beweis für irgendetwas würden sie im Grunde zwar nicht liefern können, da eine gewählte Nummer für sich allein noch nichts aussagte, aber zusammen mit den hoffentlich schon bald gefundenen Belegen für die Erpressungen wäre sie ein wichtiges Indiz.

Die rund zwei Dutzend Ordner waren sämtlich mit kryptischen Bezeichnungen versehen, die für ihren Ersteller einen Sinn ergeben haben mochten, den drei Ermittlern sagten sie jedoch nichts. Die aus zehnstelligen Ziffernfolgen bestehenden Namen waren weder Datumsangaben noch irgendetwas, das einen Rückschluss auf den Inhalt zuließ. Vielleicht war es ja eine Art Ordnungssystem, dass sich ihnen nicht erschloss. Tobias hatte der Einfachheit halber jedem ein Drittel zugeteilt. Selbstverständlich hatte Amara diese Daten auf das lokale System heruntergezogen und sie arbeiteten jetzt schon aus Gründen der Geschwindigkeit mit diesen Kopien, die mehrere Gigabyte umfassten.

Es war wie in jeder Mordermittlung: Erst ging es tagelang nur im Schneckentempo vorwärts und dann überschlugen sich die Ereignisse förmlich. Dementsprechend hatte die drei jetzt das Jagdfieber gepackt. Wenn nicht hier ein Beweis zu finden sein würde, wo sonst? Sie würden jedes einzelne Dokument sichten, und wenn es den ganzen Tag dauern sollte! Da jeder Hauptordner eine unter Umständen tief geschachtelte Struktur mit einer großen Anzahl von Unterordnern aufweisen konnte, hatte man sich auf eine langwierige Suche vorbereitet.

Im Klartext hieß das, auf dem Tisch stand eine Thermoskanne mit Kaffee und Jasmin hatte sich mit zwei ihrer geliebten Schokoriegel eingedeckt. Ihr Ruf nach fünf Minuten kam für die Kollegen unvorbereitet. »Ich habe da was!«, informierte sie Tobias und Vanessa. »Schaut mal in den Ordner ›2001892100‹ und geht von dort in das Verzeichnis ›2001892101‹. Da drin befinden sich ein Dutzend Dokumente zur Firma Abendroth in Köln-Kalk!«

»Das ist doch schon mal ein Anfang, wenn auch nicht unbedingt zielführend. Als Täter kommen die wohl nicht in Betracht, aber wie hast du das jetzt so schnell gefunden?«, wollte Tobias wissen. »Gibt es da einen Trick?«

»Klar, das nennt sich ›Volltextsuche‹«, grinste sie. »Ich habe einfach den Namen eingegeben, den Rest hat dann das Betriebssystem für mich erledigt!«

»Und das konntest du nicht sagen, *bevor* wir uns hier einen Wolf suchen?«, grummelte Vanessa. »Das war nicht nett!«

»Wir wussten doch gar nicht, was wir als Suchbegriff eingeben mussten«, nahm Tobias seine jüngste Ermittlerin in Schutz. »Abendroth ist ja nur einer von vieren, und den Namen des Täters kennen wir nicht. Trotzdem ist es nicht die schlechteste Idee, uns auf diesen Unterordner zu konzentrieren. Und falls du noch mehr ›Eingebungen‹ hast, sagst du das besser gleich!«, wandte er sich jetzt doch tadelnd an Jasmin.

»Woher hätte ich denn wissen sollen, dass ihr die einfachsten Dinge im Umgang mit Computern nicht kennt!«, verteidigte sich die auf diese Weise doppelt Gescholtene und biss demonstrativ ein Stück Schokolade ab, bevor sie sich wieder an die Arbeit machte.

Der Gedanke des SOKO-Chefs erwies sich wenige Minuten später als zielführend, denn bald waren in mehreren Unterordnern belastende Dokumente zu Albert Kunze und Bernd Ludwig gefunden, die sich durchaus für Erpressungen verwenden ließen. Und noch zu einer dritten Person!

»Die haben alle etwas zu verbergen!«, brachte es Vanessa auf den Punkt. »Und auch ein Mordmotiv, da diese Leute bei Bekanntwerden dieser Fakten alles zu verlieren haben und ständig damit rechnen müssten, dass Maier sich mit einer einmaligen Zahlung nicht zufriedengeben würde!«

»Was bei Erpressungen nicht selten vorkommt, weshalb viele Erpresser ein solches Schicksal teilen«, nickte Tobias. »Aber keiner hat so viel zu verlieren, wie unsere ›Nummer Vier‹. Da geht es um richtig viel Kohle, und *diese* Person passt in unsere Überlegungen wie die berühmte Faust aufs Auge! Leute, wir haben soeben sehr wahrscheinlich E.T. gefunden, jetzt brauchen wir nur noch die Telefonnummer!«, kalauerte er mit einem jungenhaften Grinsen.

Wie auf Bestellung klingelte sein Handy. »Martin? Habt ihr etwas für mich?«, begrüßte er den Anrufer, nachdem er die Rufnummer auf dem Display erkannt hatte. »Ach, tatsächlich? Gute Arbeit! Lasst euch das von irgendjemand schriftlich bestätigen und kommt dann ins Kommissariat zurück. Wir haben eine Festnahme durchzuführen!« Er steckte das Handy wieder ein. »Die Nummer, die von Maiers Arbeitsplatztelefon zuletzt angerufen wurde, passt!«, informierte er die beiden Kommissarinnen. »Ich besorge auf der Stelle zwei Durchsuchungsbeschlüsse sowie einen Haftbefehl! Wer kommt mit?«

* * *

Diese Frage hätte er sich schenken können, denn natürlich wollten beide dabei sein, wenn ihre unermüdlichen Recherchen und, mit Ausnahme Jasmins, wochenlangen Ermittlungen endlich zum krönenden Abschluss führten! Für Vanessa war es das dritte Mal innerhalb weniger Tage, dass sie die ›heiligen Hallen‹ der Firma Eschbach betrat, nur dass sie heute nicht brav in der Ecke warten würde, bis man geruhte, sich um sie zu kümmern!

Das mochte die ›Empfangsdame‹ erkannt haben, denn sie machte gar nicht erst den Versuch, sie abzuwimmeln. Stattdessen stand sie stocksteif und bleich hinter ihrem Schreibtisch und schaute den Beamten erschrocken entgegen. Manuela Eschbach war, wie sie jetzt wussten, für die Buchhaltung des Betriebes zuständig und die Ehefrau des Geschäftsführers. Vor allem die beiden uniformierten Polizisten, die Tobias zur Unterstützung dabei hatte, zogen ihre Aufmerksamkeit auf sich. Ob sie ahnte, was auf sie zukam?

Tobias griff in die Innentasche seiner Lederjacke und zog einige Dokumente und seinen Dienstausweis hervor. »Hauptkommissar Heller, Kripo Siegburg!«, wandte er sich direkt und ohne Umschweife an die Frau. »Ich habe hier einen Durchsuchungsbeschluss für sämtliche Betriebsräume dieser Firma und einen Haftbefehl! Wir wissen von seiner Frau, dass sich Ihr Schwager Thomas Eschbach hier in diesem Gebäude aufhält! Wollen Sie ihn für uns holen oder sollen wir das selbst machen?« Dass vor und hinter dem Haus jeweils zwei weitere Polizeibeamte aufpassten, dass der Tatverdächtige nicht durch ein Fenster flüchten konnte, verschwieg er ihr aus gutem Grund.

# Kapitel 17

## Das Ende einer langen Suche

»Bis gestern sah es ganz und gar nicht danach aus, als wenn wir in diesem Fall irgendwann einen Durchbruch erzielen würden«, wandte Tobias Heller sich an seine Ermittler, die heute einen entspannten und gelösten Eindruck machten. Und das kam nicht von ungefähr, denn sie hatten den mutmaßlichen Mörder von Oliver Maier seit gestern Nachmittag in polizeilichem Gewahrsam. Der Fall schien also gelöst.

»Doch dann brachten uns eine andere Sichtweise und nicht zuletzt auch die moderne Technik auf die Lösung dieses Rätsels«, fuhr er fort. »Hätte das Mordopfer seine Dokumente nicht im Internet abgelegt, würden wir heute noch nach einem entscheidenden Hinweis suchen. Diesen haben wir gestern gefunden, wenn er auch nicht mal ansatzweise dem entsprach, was wir uns aufgrund der Spurenlage erhofft hatten. Aber so ist es in der Kriminalistik nun mal, es zählen letztendlich nur die Fakten!«

»Dieser Kerl hat es uns ja auch nicht gerade leichtgemacht, seinen Mörder zu finden«, brummte Martin Weber. »Dauernd hat er uns, sozusagen aus dem Grab heraus, an der Nase herumgeführt. Allein schon die Sache mit den Kürzeln! Jeder normale Mensch *muss* doch denken, dass es sich um Initialen handelt, wenn sie auf einem Terminkalender stehen!«

»Das gilt aber ebenso für die DNA«, relativierte Tobias. »Sie hatte uns ja ebenfalls in die Irre geführt, und ohne die Dokumente wären wir im Leben nicht auf die Lösung gekommen. Denkt nur daran, dass wir uns zuletzt auf die Ehefrauen der Eschbach-Brüder eingeschossen hatten, weil alles andere keinen Sinn zu ergeben schien! Genau genommen wäre dieser Fall in wenigen Tagen abgeschlossen gewesen, wenn wir die Cloud früher entdeckt hätten. Aber dass wir überhaupt Kenntnis davon erlangten, ist wieder mal dem Können unserer IT-Spezialistin zu verdanken.«

»Wer hätte denn auf so einen Blödsinn kommen können!«, erregte Martin sich. »Wir haben jetzt also unseren Täter«, wechselte er das Thema. »Wie gehen wir weiter vor? Du wirst sicher das Verhör persönlich durchführen. Wer darf dir dabei assistieren?« Sofort richteten sich drei weitere Augenpaare mit begehrlichen Blicken auf den SOKO-Chef.

»Ich denke, dieses Privileg hat sich heute Jasmin verdient«, lächelte er wissend. Natürlich wollte jeder Einzelne von ihnen dabei sein, denn Vernehmungen von Tatverdächtigen waren bei allen Ermittlern sehr beliebt. Ihnen eine lückenlose Beweiskette zu präsentieren, in Widersprüche zu verstricken und zuletzt ein umfassendes Geständnis abzuringen, galt als die Königsdisziplin in der Kriminalistik.

Aber man konnte auch einiges falsch machen, was im schlimmsten Fall dazu führen konnte, dass man einen Täter auf freien Fuß setzen musste. Aus diesem Grund bestand Tobias stets auf umfassende Vorbereitungen, weshalb das Verhör von Thomas Eschbach erst heute stattfinden würde.

Ein anderer, nicht unwesentlicher Grund war der Anwalt, den der Beschuldigte verlangt hatte und der sich zur Stunde mit seinem Klienten beriet. Diesem ebenfalls eine Gelegenheit zur Vorbereitung zu einzuräumen, war nicht nur dessen Recht, sondern erforderlich, um später vor Gericht keine Schlappe wegen etwaiger Verfahrensfehler zu erleiden. Akteneinsicht würde er hingegen frühestens mit der Anklageschrift erhalten.

»Es kann immer nur einen geben!«, vertröstete er die anderen, die ein enttäuschtes Gesicht aufgesetzt hatten. »Und warum Jasmin? Sie war an einem Großteil der Ermittlungen nicht aktiv beteiligt, werdet ihr sagen. Das stimmt zwar, doch sie lieferte uns letztlich den entscheidenden Denkanstoß, was den Ausschlag für meine Wahl gab! Sobald die letzten Ergebnisse der Forensik vorliegen, geht es los!«, wandte Tobias sich an die Kommissarin, die nur stumm dazu nickte. Sie war selbst am meisten überrascht.

* * *

Thomas Eschbach war mit zweiunddreißig Jahren der jüngste Spross des verstorbenen Multimillionärs und bekleidete in der Firma, die seit dessen Tod von seinem ältesten Bruder Markus geleitet wurde, den Posten eines Bauleiters. Mit einem Gehalt, das Tobias im Quartal nicht verdiente. Doch dieses angenehme Leben neigte sich für den Tatverdächtigen endgültig dem Ende zu. Und zwar in jeder Hinsicht, wie die vorläufigen Laborergebnisse gezeigt hatten. Sein Erbe konnte er auf jeden Fall vergessen, ganz gleich, wie diese Sache für ihn ausgehen würde.

Jetzt zumindest saß er noch mit jenem hochmütig blasierten Gesichtsausdruck neben seinem Rechtsanwalt, der auch seinem Bruder Markus zu eigen war. Reichtum und Macht seiner Familie hatten ihn, wie auch seine Geschwister, von Kindesbeinen an beeinflusst. Er wähnte sich nicht in Gefahr, da der Rechtsanwalt einer der Besten war, die man für Geld kaufen konnte. Allein für die Dauer dieser leidigen Vernehmung strich er wahrscheinlich mehr an Honorar ein, als die zwei Kommissare im ganzen Monat zu sehen bekamen. Geld war alles, was in seiner Welt zählte.

»Sie sollten sich überlegen, ob Sie sich einen derart teuren Anwalt überhaupt leisten können«, wandte sich Tobias Heller an ihn, nachdem er neben Jasmin Brandt Platz genommen hatte. Anschließend sprach er die für das Audioprotokoll erforderlichen Angaben zum Grund der Vernehmung ins Mikrofon sowie die Namen und Dienstränge der beteiligten Beamten. Die kryptische Bemerkung zu Beginn ließ er unkommentiert. Doch wie alles, was er in einer Vernehmung von sich gab, entsprang auch sie einem Kalkül.

»Kennen Sie einen Mann namens Oliver Maier?«, schoss Jasmin ihre erste Frage ab, nachdem Tobias ihr zugenickt hatte. So war es zwischen ihnen abgesprochen worden.

»Diesen Namen sagten Sie mir gestern bereits bei meiner Verhaftung«, hob Eschbach die Schultern. In der Tat hatte Tobias ihn erwähnt, da der Grund einer Festnahme ohne Ausnahme immer genannt werden muss. Und außerdem stand er auf dem Haftbefehl, den er ihm vorgelegt hatte. »Es hat sich nichts geändert, ich kenne diesen Herrn nicht!«

»Vielleicht hilft das ja Ihrem Gedächtnis ein wenig auf die Sprünge«, versetzte Tobias und zog die Kopie eines Zeitungsartikels aus einer dicken Aktenmappe, die viel ›Füllmaterial‹ enthielt, also Schriftstücke, die mit diesem Verhör nicht das Geringste zu tun hatten und lediglich der subtilen Einschüchterung dienten. Er schob das Blatt dem Rechtsanwalt zu, der es nach kurzer Sichtung an seinen Mandanten weiterreichte.

»Dies ist ein Teil der Artikelserie, die sich mit den, wie der Verfasser es ausdrückte, ›Machenschaften‹ von Betrieben wie Ihrem befasste«, erklärte Jasmin ihm drehbuchgemäß. »Hier geht es speziell um die Firma Eschbach! Sagen Sie mir nicht, dass Sie davon nichts wussten!«

»Ach das!«, winkte Eschbach ab. »Das ist Jahre her und betraf in erster Linie meinen Vater. Okay, dieser Schmierfink ist jetzt tot, wie sie sagen. Aber was habe ich damit zu tun?«

»Wir können beweisen, dass Sie am Tag seines Todes mit ihm telefoniert haben«, informierte Heller ihn. »Jedenfalls hat er um genau 16:32 Uhr Ihre Festnetznummer angerufen. Ihre Frau hat das Gespräch jedoch nicht entgegengenommen, sagte sie. Bleiben also nur noch Sie übrig!«

»Wenn Sie sonst nichts gegen meinen Mandanten in der Hand haben, war es das wohl!«, meldete sich der Anwalt erstmals zu Wort. »Dieser Anruf besagt gar nichts. Nicht einmal, ob er angenommen wurde! Haben Sie Fingerabdrücke am Tatort gefunden, oder sogar DNA? Mit diesen dürftigen Indizien nehme ich Sie vor Gericht auseinander!«

»Jetzt, wo Sie es erwähnen, haben wir tatsächlich etwas in der Art«, lächelte Heller hintergründig und zog zielsicher ein weiteres Blatt aus seinem Ordner, ohne hinzusehen. »Es handelt sich um eine unvollständige, aber dennoch aussagekräftige DNA, die wir an der Leiche fanden.«

»Unvollständig? Und was soll das beweisen?«

»Nun, es handelt sich um den Teil des genetischen Codes, der die Erbinformationen enthält«, konterte Heller. »Sie findet sich demnach in allen Verwandten ersten Grades wieder. Das ist bei Ihrem Mandanten der Fall, nicht jedoch bei seinen Geschwistern! Ebenfalls Fehlanzeige bei Antonius Eschbach, der somit als Erzeuger nicht mehr infrage kommt! Außerdem hat ein DNA-Schnelltest ohne jeden Zweifel bestätigt, dass Ihr Mandant *nicht* mit dieser Familie genetisch verwandt ist. Die Mutter können wir nicht für einen Vergleich heranziehen, da sie vor Jahren verstorben ist und keine lebenden Verwandten hat. Aber das ist für den Nachweis der Schuld Ihres Mandanten ohne jeden Belang.«

»Ach ja? Und was ist dann für Sie von Belang?« Das Verhör spielte sich mehr und mehr zwischen Tobias Heller und dem Rechtsanwalt ab. Thomas Eschbach hatte sein überhebliches Gehabe jedoch mittlerweile abgelegt und war in sich zusammengesunken. Fast schien es, als wollte er sich in irgendein Loch verkriechen.

»Die Tatsache, dass der Journalist Oliver Maier von diesem kleinen ›Missgeschick‹ wusste und Sie damit erpresste!«, wandte sich Heller jetzt wieder direkt an Eschbach. »Den Mord können wir Ihnen nachweisen. Die Teil-DNA, die wir an der Leiche fanden, lässt nach

Auskunft des Humangenetischen Instituts praktisch keinen Spielraum für einen Irrtum. Aber da ist noch mehr! Jasmin?«

»Unsere Forensiker fanden am Grab von Antonius Eschbach einen Schuhabdruck«, las die Kommissarin aus ihrer Akte. »Er muss jedoch vor der Bestattungszeremonie entstanden sein. Der Totengräber brachte in aller Frühe den Sarglift an und der Abdruck befand sich darunter. Dafür kommt dann also nur die Nacht infrage. Bei der gestrigen Hausdurchsuchung wurde ein Paar Schuhe sichergestellt, deren Sohlenprofil zu hundert Prozent dazu passt!«

»Falls Sie es nicht wissen«, wandte sich Tobias an den Anwalt. »Die Leiche fanden wir auf dem Grund des besagten Grabes! Außerdem stellen unsere Spezialisten gerade die Firmenräume auf den Kopf, da wir uns sehr sicher sind, dass Maier dort getötet wurde. Wenn das der Fall ist, finden sie auch etwas. Ein Haar vielleicht, oder eine Hautschuppe.«

»Sie haben wirklich einen schönen Garten«, übernahm Jasmin erneut. »Da wächst auch eine Pflanze, die ›Blauer Eisenhut‹ genannt wird und hochgiftig ist. Aber das wissen Sie, nehme ich an. Ist es nur ein dummer Zufall, dass Sie sehr leicht an eine Spritze gelangen konnten, weil Ihre Ehefrau sich regelmäßig Insulin spritzen muss und Sie anderseits einfach nur ein paar Wurzeln auskochen mussten, um das Gift zu gewinnen?«

»Ich sage Ihnen, wie es sich abgespielt hat«, setzte Tobias zum finalen Schlag an. »Oliver Maier, der ganz dringend eine größere Summe Bargeld brauchte, um den Repressalien eines skrupellosen Geldeintreibers zu entgehen, rief Sie an diesem Nachmittag an und konfrontierte Sie mit den Tatsachen, die er irgendwie erfahren hatte. Wir haben Ihre Einzelverbindungen auswerten lassen, das Gespräch hat einige Minuten gedauert, denn er musste Ihnen ja alles erklären. Sie dagegen mussten unverzüglich handeln, denn sobald bekannt würde, dass Sie ein Bastard sind, wäre das schöne Leben vorbei. Sie verlören Ihren gut bezahlten Job und könnten sich von einem Millionenerbe verabschieden. Denn dummerweise steht Ihnen, da Sie ja mit Antonius Eschbach nicht verwandt sind, nur der Erbteil Ihrer Mutter zu. Und der ist gering, da ihr Mann sein Vermögen mit in die Ehe brachte und strikte Gütertrennung vereinbart wurde. In dieser Hinsicht würden Sie leer ausgehen. Sie lockten Maier mit der Zusage, ihn dort auszuzahlen, spät abends in die Firma, wo Sie ihm hinterrücks die vorbereitete Spritze in den Hals jagten. Sie hatten ein Motiv und die passende Gelegenheit! Und Sie haben zudem kein Alibi, weil Ihre Frau tief geschlafen hat und nicht mit Bestimmtheit sagen kann, ob Sie in dieser Nacht zu Hause waren! Das meiste davon können wir Ihnen anhand von Indizien ohnehin beweisen. Jetzt liegt es nur an Ihnen, das Gericht zu einem milden Urteil zu bewegen, indem Sie ein Geständnis ablegen!«

\* \* \*

»Unter dem Druck der vorliegenden Indizien legte Thomas Eschbach ein umfassendes Geständnis ab«, informierte Tobias seine Ermittler eine Stunde später über seinen und Jasmins Erfolg. »Es hat sich alles fast genauso zugetragen, wie wir es anhand der Recherchen vermutet hatten. Eschbach hatte zunächst auf den Telefonanruf mit Panik reagiert, denn für ihn stand tatsächlich alles auf dem Spiel. Maier auszuzahlen, kam ihm dagegen nicht eine Sekunde in den Sinn, da er befürchten musste, dann nie wieder Ruhe vor ihm zu haben. Er plante auf die Schnelle einen, wie er dachte, perfekten Mord, da er nicht nur eine Möglichkeit sah, den lästigen Erpresser loszuwerden, sondern auch, seine Leiche verschwinden zu lassen.«

»Es ist beinahe eine Ironie des Schicksals, dass er von Anfang an vorhatte, sie im Grab seines ›Vaters‹ zu entsorgen«, warf Jasmin ein. »Das erschien ihm genial, denn nach der Beerdigung am nächsten Tag hätte man nie wieder etwas von ihr gesehen. Leider kam ihm ein betrunkener Autofahrer in die Quere.«

»Richtig«, fuhr Tobias fort. »Deshalb hatte er auch seinen Wagen direkt vor der Firma geparkt. Er hatte sich jedoch in der Wirkung des Giftes verkalkuliert. Statt auf der Stelle tot zusammenzubrechen, wie er es sich vorgestellt hatte, taumelte sein Opfer auf die Straße, wo er direkt vor das Auto von Stumpf lief. Die Räume liegen ja ebenerdig. Er musste hilflos mitansehen, wie dieser die Leiche in den Kofferraum hievte und mit ihr davonfuhr.«

»Er konnte Stumpf jedoch unbemerkt folgen und musste, nachdem er die Arbeit für ihn erledigt hatte, nur noch Erde über die Leiche schaufeln«, nickte die Kommissarin. »So kam der bisher nicht zugeordnete Sohlenabdruck dorthin. Unsere beiden Zeugen sahen demzufolge in dieser Nacht zwei *verschiedene* Männer auf dem Friedhof! Bei der Vernehmung von Stumpf war nämlich nicht aufgefallen, dass er von der Erde nichts gesagt hatte«, fügte sie hinzu. »Das hattet ihr nur stillschweigend angenommen.«

»Wenn ich das alles richtig verstanden habe, hatte seine Mutter vor zweiunddreißig Jahren eine Affäre, woraus der uneheliche Sohn entstand«, resümierte Jonas. »Ob der betrogene Ehemann darüber Bescheid wusste?«

»Das werden wir wohl nicht mehr herausfinden«, hob der SOKO-Chef die Schultern. »Es ist auch unerheblich, zumindest strafrechtlich. Seine Geschwister scheinen aber ahnungslos gewesen zu sein. Offenbar hatte die Mutter dominante Gene, was die Familienähnlichkeit betrifft, so ist es ihrem Ehemann wahrscheinlich nicht aufgefallen. Ob es eine Möglichkeit gibt, trotz allem an das Erbe zu kommen, müssen die Gerichte entscheiden. Es ist zwar nicht möglich, aus einem Mord einen Vorteil zu ziehen, doch Eschbach hat ja nicht seinen Vater getötet. Uns kann das aber gleichgültig sein.«

»Ich frage mich, wo das Handy des Opfers abgeblieben ist«, überlegte Jasmin. »Wenn er es nicht bei sich hatte und es auch nicht in seiner Wohnung lag, kann es doch nur sein Mörder haben! Wir hätten ihn danach fragen sollen!«

»Wir haben es bei ihm nicht gefunden. Es könnte Maier aus der Tasche gefallen sein, als Stumpf ihn in seinen Kofferraum verfrachtete. Aber da war es auch nicht. Oder er hat es verloren, als er nach dem Giftattentat auf die Straße lief. In dem Fall könnte es später jemand aufgehoben haben«, vermutete Tobias. »Wir werden es wohl nie erfahren.«

»Und das war's jetzt?«, zweifelte Martin. »Der Fall ist gelöst, einfach so?«

»Hast du etwas dagegen einzuwenden?«, konterte Tobias mit hochgezogenen Augenbrauen. »Wir sind definitiv durch, die Beweise sind schlüssig und wir haben ein Geständnis. Bleibt zu erwähnen, dass er als Hobbygärtner nicht nur über die Wirkung der Giftpflanze in seinem Garten Bescheid wusste, sondern auch dazu in der Lage war, das Nervengift aus deren Wurzel zu extrahieren. Er verabreichte seiner Frau beim Abendessen heimlich ein Schlafmittel, sodass er genügend Zeit für sein Vorhaben hatte.«

»Hätte er sich mal ebenso gut in der Friedhofssatzung ausgekannt«, fügte Martin an. »Denn letztlich wurde ihm die Tiefe der Grube zum Verhängnis, die eine ordnungsgemäße Bestattung durch die darin abgelegte Leiche verhinderte. Hätte der Totengräber sie dreißig Zentimeter tiefer gemacht, wäre er damit davongekommen.«

»Aber das Beste daran ist, dass wir den Fall ganz ohne obskure chemische Experimente unseres abwesenden ›Genies‹ lösen konnten«, spielte Vanessa grinsend auf die Vorliebe ihres Kommissaranwärters an, forensische Analysen durchzuführen. Zuletzt hatte er die geschwärzten Stellen in einem Reisepass sichtbar zu machen versucht, sogar mit einigem Erfolg. »Das zeigt doch, dass wir ›alten Hasen‹ auch noch zu etwas taugen!« Dem war nichts mehr hinzuzufügen.

# Die SOKO Rhein-Sieg kommt wieder!

Ich bekomme hin und wieder Post von Leser*innen, mit unterschiedlichen Inhalten. Da gibt es beispielsweise Auswanderer, die vormals im Rhein-Sieg-Kreis wohnten und sich über die anschaulichen Beschreibungen ihrer Heimat freuen. Offenbar gelingen diese mir gut genug, dass man sich wiederfindet. Natürlich freue ich mich auch über die Mitteilung zu kleineren Fehlern, die sich trotz Korrektorat noch oder wieder eingeschlichen haben. Ich gestehe, dass einige davon durch die nachträgliche Korrektur entstanden sein können. Ich werde diese dann umgehend korrigieren.

Ganz selten erhalte ich Anregungen zu einem Plot für eine neue Handlung. Natürlich lese ich mir diese Vorschläge äußerst gewissenhaft durch, aber man wird sicher verstehen, dass ich normalerweise nichts davon verwenden kann. Schon allein, um etwaigen Plagiatsvorwürfen zu entgehen. Trotzdem basiert die vorliegende Handlung im Grunde auf einem solchen Vorschlag, der mir bereits vor einigen Jahren unterbreitet wurde. Allerdings habe ich nur die Eingangsszene mit der Bestattung als Aufhänger genommen, der Rest ist selbst erdacht. Sollte besagter Leser sich dennoch wiederfinden, sei ihm Folgendes gesagt: Ich habe es nicht vergessen, bin jedoch nach wie vor der Meinung, dass der vorgeschlagene Plot nicht für eine Krimihandlung taugt. Dies ist daher eine ganz andere Geschichte!

Bei der Beschreibung der örtlichen Gegebenheiten habe ich mich, soweit es möglich war, an die Realität gehalten. Dies gilt auch für die technischen Möglichkeiten. Was die etwas ungewöhnliche Überwältigung der ›Jägerin‹ angeht, bitte ich, dies nicht allzu ›Bierernst‹ zu nehmen, zumal es für die Haupthandlung nicht von Bedeutung ist. Es war als Gag gedacht.

Ich höre förmlich die Kommentare der Besserwisser zu der Szene, wo die Attentäterin das Motorrad fährt und in der linken Hand die Pistole führt. Wie hat sie den Gang eingelegt, wird man fragen. Nun, jeder der eine Kupplung mit Seilzug hatte, der ihm gerissen ist, wird diese Frage beantworten können. Man kann den zweiten Gang nämlich aus dem Leerlauf heraus, auch ohne auszukuppeln, einlegen! Man muss halt etwas mehr Gas beim Anfahren geben. Vertrauen sie einem, der in dreißig Jahren sechs Motorräder besessen und gefahren hat!

Ich kann nicht jede Kleinigkeit bildlich darstellen, manchmal muss man seine Fantasie bemühen. Wie bei dieser Szene im Trauzimmer im letzten Band, wo mir ein Leser in seiner Rezension vorwarf, dass auch ein Mann wie Müller keine unter ihm liegende Frau so verdecken könne, dass man sie nicht mehr sieht. Er ging wohl davon aus, dass er auf ihr lag wie eine Brötchenhälfte auf der anderen. Ferkel!

Stellen Sie sich vor, dass die Frau auf dem Rücken lag, teilweise vom Mobiliar verdeckt, und Müller halb auf der Seite der Länge nach daneben, beziehungsweise darüber. So sieht man von der Tür zunächst nur seine breiten Schultern! Leute, muss ich denn alles haarklein ausschmücken?

Ich hoffe, der vorliegende Band der SOKO Rhein-Sieg hat Ihnen gefallen und ich konnte Ihnen einige spannende und unterhaltsame Stunden verschaffen, denn zu diesem Zweck wurde das Buch geschrieben! Wenn dies der Fall ist, habe ich eine persönliche Bitte an Sie: Ich würde mich freuen, wenn Sie den Krimi auf der Produktseite von Amazon bewerten und dort ein kurzes Feedback hinterlassen. Sie müssen sich gar nicht in epischer Breite über den Inhalt auslassen, einige Sätze reichen vollkommen aus. Applaus ist das Brot des Künstlers, heißt es, und er motiviert zumindest zum Weiterschreiben!

Falls Sie auf *Lovelybooks*, *Goodreads* usw. aktiv sind, einen Buchblog betreiben oder Ihre Leidenschaft für Bücher auf *Facebook*, *Instagram* oder *Twitter* teilen, würde ich mich auch dort sehr über eine Rezension freuen. Das soll aber jetzt nicht heißen, dass ich hier um positive Bewertungen bettele. Selbstverständlich dürfen Sie Ihrem Unmut bei Nichtgefallen ebenfalls freien Lauf lassen, sofern Sie Ihre Meinung sachlich und vor allem ehrlich vertreten!

Im Anschluss finden Sie die Kurzbeschreibungen der Protagonisten dieses Buches, soweit sie zur Vermeidung von Wiederholungen für Stammleser im Text nicht erwähnt wurden.

Ihr René Falk

# Das Ermittlerteam

**Tobias Heller**, Jg. 1979, studierte nach dem Abitur Kriminalpsychologie an der Universität Bonn, brach dann aber nach drei Semestern das Studium ab und bewarb sich bei der Kriminalpolizei. Er ist 1,85 Meter groß und hat eine sportliche Figur. Das dunkelblonde lockige Haar trägt er schulterlang. Seine bevorzugte Kleidung besteht aus Jeans, Turnschuhen und Lederjacke. Seit 2021 leitet er die eigens für ihn eingerichtete SOKO Rhein-Sieg.

**Martin Weber**, Jg. 1978, fing mit dreiundzwanzig Jahren beim Kriminalkommissariat 2 der Siegburger Kriminalpolizei an, das von Melanie Heller geleitet wird. 2021 folgte er dem Ruf ihres Ehemannes Tobias und wechselte in dessen SOKO. Weber steht mit der modernen Technik auf Kriegsfuß, verfügt aber über eine brillante Kombinationsgabe. Er misst 1,75 Meter und seine Haare sind bereits von grauen Strähnen durchsetzt. Seine Frisur wirkt meist, als sei er gerade aus dem Bett gestiegen und er zeichnet sich durch eine extrem legere Kleidung aus, die normalerweise aus ausgelatschten Turnschuhen und verwaschenen Jeans besteht.

**Jonas Faber**, Jg. 1989, ist mit seinem unfehlbaren Gedächtnis und seinem umfangreichen Fachwissen eine wandelnde Datenbank, womit er sich hervorragend mit seinem Ermittlungspartner Martin Weber ergänzt. Optisch stellt er jedoch einen krassen Gegensatz zu diesem dar, denn seine bevorzugte Kleidung besteht aus Maßanzügen mit Designerhemd und Krawatte. Faber misst 1,89 Meter und ist schlank. Seine dunkelblonden Haare trägt er kurz und er wirkt ständig, als sei er gerade erst beim Friseur gewesen.

**Vanessa Fuchs**, Jg. 1992, fing ihre Karriere beim Kriminalkommissariat 4 an. Nach nur zwei Dienstjahren dort wurde sie von Tobias Heller für die neue SOKO angeworben, dem ihre hervorragenden Kenntnisse über forensische Analysen und ihre Affinität zu elektronischen Geräten jeglicher Art aufgefallen war. Sie ist mit 1,74 Meter und einer sportlichen Figur recht groß und für eine Frau. Das schulterlange naturbraune Haar trägt sie in der Regel zu einem Pferdeschwanz gebunden.

**Jasmin Brandt**, Jg. 1994, begann ihre Laufbahn ebenfalls im Kriminalkommissariat 4, wo sie mit Vanessa Fuchs ein Ermittlungsteam bildete. Sie gilt als wahre Meisterin der Recherche, weshalb sie eine ideale Ergänzung des SOKO-Teams darstellt. Sie ist 1,64 Meter groß und ein wenig rundlich. Die blonden Haare trägt sie meist modisch kurz.

**Erik Hagel**, Jg. 2000, ist ein Neffe von Hellers früherem Chef Donner. In seinem Abiturjahr 2019 absolvierte er ein Praktikum im Kommissariat seines Onkels und trat später als Kommissaranwärter in den Dienst der Siegburger Kriminalpolizei. Er ist bei einer Größe von 1,82 Metern erschreckend hager. Das schwarze Haar trägt er halblang und ungekämmt. Er ist in forensischen Untersuchungen sehr talentiert und der Assistent von Vanessa Fuchs.

**Jürgen Vogel**, Jg. 1971, leitet die forensische Abteilung der Kripo Siegburg. Der kauzig wirkende Wissenschaftler liebt seinen Beruf und schwarze Zigarillos über alles. Mit einer Größe von 1,92 Metern und einer extrem hageren Gestalt wirkt er in seinen Bewegungen unbeholfen, ist jedoch in seinem Fachgebiet der forensischen Spurenanalyse eine anerkannte Koryphäe und bei seinen Mitarbeitern und den polizeilichen Ermittlern sehr beliebt.

**Amara Jones**, Jg. 1990, ist gebürtige Münchnerin und die einzige Tochter nigerianischer Einwanderer. Sie studierte Mathematik und Informatik, bevor sie in der Forensik der Kripo Siegburg die Stelle der IT-Spezialistin übernahm. Sie hat in beiden Studienfächern einen Master und ein untrügliches Gespür für alles Technische. Ihr unüberhörbarer bayrischer Akzent steht in einem lustigen Kontrast zu ihrer tiefschwarzen Hautfarbe. Sie ist nur 1,57 Meter groß und in den Hüften eine Winzigkeit zu breit. Das schwarze, krause Haar trägt sie kurz, da es ansonsten kaum zu bändigen wäre.

**Rieke Martinen**, Jg. 1997, stammt von der Nordseeinsel Amrum und ist neben Amara Jones seit 2022 die zweite Frau in Vogels Team. Ihr Aussehen ist klassisch ›friesisch‹, 1,78 Meter groß, breitschultrig und mit flachsblonden Haaren, die sie bei der Arbeit zu einem Pferdeschwanz bindet. Sie spricht nicht viel, doch wenn sie sich einmal zu Wort meldet, ist ihre Herkunft nicht zu überhören.